D0636334

Hockeyteam
de sterren

Het team-uitje

Hockeyteam de sterren

Het team-uitje

Marlies Slegers

Hockeyteam de Sterren

*

Toptalent gezocht!

*

Het team-uitje

Actuele informatie over Kluitmanboeken
kun je vinden op kluitman.nl

Nur 283/GGP091101

Omslagontwerp: Tamar de Klijn
Opmaak binnenwerk: Marieke Brakkee

kluitman.nl

Bij Koninklijke Beschikking
Hofleverancier

1

'Daisy, neem aan!' Julia schoot de bal met vaart naar haar teamgenootje Daisy. Het was de laatste minuut van de wedstrijd van M8D3, ofwel Hockeyteam de Sterren, tegen M8D2 van tegenstander HC Yellow. De stand was 1-1. Als ze nu zouden winnen, dan stonden de meiden van Sterrenhout bovenaan in hun competitie, en dat net voor de winterstop.

Daisy nam de bal aan en keek even het veld over. Als ze de bal naar links speelde, had ze kans dat ze voorbij het meisje voor haar kon komen.

'Kom op, meiden! Laatste minuut!' riep coach Simon vanaf de zijlijn.

Daisy haalde haar stick naar achteren, zwaaide en sloeg de bal voorbij de middenvelder van HC Yellow.

Florine ving de bal op en sleepte hem mee naar voren. Ze keek naar haar teamgenoten. Pip, Sofia en Pleun stonden in de cirkel en gilden dat ze de bal moest aanspelen. Ze sloeg de bal razendsnel naar Pip, die hem doorspeelde naar Pleun. Florine was inmiddels naar het doel gerend en riep: 'Hier, terug!'

De bal kwam weer haar kant op, ze haalde fel uit en de bal ging tussen de legguards van de keepster door het doel in. Toen floot de spelleider het eindsignaal.

De meiden van Hockeyteam de Sterren renden dolblij op Florine af en omhelsden haar. 'Super, Florine! Het winnende punt!'

De meisjes van HC Yellow dropen af naar hun kant van de dug-out.

'High five!' Julia hield haar hand omhoog. 'Top, Flo! En lekker zo, voor de winterstop. Brrr, blij dat we even stoppen, het wordt zo koud!'

Florine lachte en wees op haar legging, die ze onder haar rokje droeg. 'Daarom draag ik een legging. Veel te koud, zo'n rokje! Hockey is vast uitgevonden in een land waar het superwarm is!'

In de dug-out was het een wirwar van tassen, flesjes drinken, bodywarmers, jassen en sjaals. Iedereen zocht zo snel mogelijk zijn spullen bij elkaar, zodat ze naar de kantine konden gaan.

'Omdat het winterstop is en omdat jullie gewonnen hebben, krijgen jullie warme chocolademelk als verrassing!' Coach Simon keek de meiden aan en blikte toen omhoog. 'Dat past trouwens ook goed bij het weer...'

De eerste sneeuwvlokjes van het jaar dwarrelden naar de aarde.

In het clubhuis was het behaaglijk warm. Het was er druk met ouders en spelers die nog even voor de winterstop wat bleven drinken. Overal hingen slingers.

'Dat is vast al voor het feest van volgende week!' zei Emma en ze trok het elastiekje uit haar rode haren. 'Wie gaat er allemaal naar het CD-feest?'

Alleen Jasmijn stak haar vinger niet in de lucht.

'Hè? Ga jij niet?' Sanne keek haar verbaasd aan.

'Nah, geen zin. Zo'n stom hockeyfeest. Dat zie ik niet zitten. Ik hou niet zo van grote feesten. Bovendien, dan is de finale van *Popidool* op televisie en ik volg het al maanden. Dat ga ik niet missen voor een feestje.'

'Dat volg ik ook,' zei Julia, 'maar ik laat er geen CD-feest voor schieten, hoor! Zo'n feest is helemaal geweldig! Met een dj en een echte dansvloer en vruchtencocktails en lekkere hapjes... En iedereen uit de C en D komt!'

'Behalve ik dan.' Jasmijn haalde verveeld haar schouders op.

Simon kwam terug bij de tafel met een dienblad vol bekers warme chocolademelk. 'Zo meiden, een paar weken geen hockey. Jammer! Begin februari beginnen we weer. Het is het laatste seizoen dat jullie een achttal zullen zijn, want na de zomervakantie gaan er behoorlijk wat door naar de elftallen. Maar voordat het zover is...' hij trommelde met zijn vingers op de tafel, '...is er eerst nog het jubileum van HC Sterrenhout!' Hij boog zich naar voren en gebaarde dat ze allemaal moesten luisteren.

'Het kan jullie bijna niet ontgaan zijn dat HC Sterrenhout vijftig jaar bestaat deze maand.' Hij wees op de vele posters die in de kantine hingen. *Een halve eeuw Sterrenhout!* stond erop te lezen. 'Daarom zijn er een heleboel feesten volgend weekend, onder andere jullie CD-feest. Ik zal daar ook zijn om te helpen. Maar het allerleukste van al die festiviteiten is misschien wel de tombola!'

'De wattala?' Pleun keek haar vader vragend aan.

'De tombola. Dat is een soort loterij, we hoeven er alleen geen lootjes voor te kopen. Alle teams vanaf de achttallen dingen mee naar geweldige prijzen. De benjamins, de F'jes en de E'tjes, krijgen een eigen feestmiddag en allemaal een leuk aandenken aan het jubileum, maar voor alle teams vanaf de D's – dus ook voor ons – is er echt een waanzinnige hoofdprijs te winnen...'

Hij keek de meiden verwachtingsvol en glunderend aan. 'Je kunt nieuwe jacks voor je team winnen, of een clinic van Heike Maaijer of...'

'Heike Maaijer? De topaanvaller van Oranje?!' Emma floot even tussen haar tanden. 'Cool. Zo'n prijs wil ik wel winnen! Hij heeft zulke mooie...' – ze keek even naar Simon en grijnsde schaapachtig – '...speltechnieken.'

'Ja, inderdaad, die Heike,' lachte Simon. 'En je kunt ook nog de hoofdprijs winnen. En die is geweldig, *fabulous, wonderful...*'

'Wat dan? En waarom praat je Engels?' Florine keek hem aan.

'Omdat je Engels moet kunnen praten in Londen. De hoofdprijs is dat het hele team het weekend voor kerst naar Londen mag!'

'Wat?!' gilde Jasmijn.

'Vet!' riep Eva.

'Londen... wow... en dat met kerst...' verzuchtte Daisy. 'Als we dat toch eens zouden winnen...'

'Yes, Londen!' Florine gooide haar armen in de lucht. 'Hoe?

En wat? Zou je dan in een hotel slapen?'

Coach Simon lachte om hun enthousiasme. 'Het winnende team gaat er met de trein naartoe, de Eurostar, die door de Kanaaltunnel gaat. Je vertrekt op vrijdagochtend en...'

'Dan heb ik school...!' zei Eva en ze keek beteuterd.

'Ja, dat geldt voor jullie allemaal. Maar de club vraagt om speciaal verlof als dat nodig mocht zijn, want een reisje naar Londen, dat win je niet iedere dag.' Coach Simon nam een slok van zijn koffie. 'In elk geval, je komt een paar uur later in Londen aan. Je logeert daar bij een gastgezin. Hockeyvereniging Sterrenhout is verbonden aan een hockeyclub uit Londen: Swiss Cottage. En de winnaars logeren dus twee nachten bij een leeftijdsgenoot van die club. En verder ga je naar een museum, krijg je een rondrit en is er uiteraard ook tijd om te gaan shoppen, zo net voor de feestdagen. Op zondagavond ga je weer naar huis, dan ben je mooi op tijd voor de kerst terug, want dat is op dinsdag.'

De meiden luisterden met fonkelende ogen.

Julia was de eerste die iets zei. 'Wat een droomreis... Maar eh... dat gastgezin... Zo goed is mijn Engels nu ook weer niet! Dan kun je nauwelijks met elkaar praten!'

'Ja, stel dat er iets is, dan weet je niet hoe je dat moet zeggen!' Emma keek bezorgd.

'Ach, zo'n vaart loopt het vast niet. De meeste gastgezinnen zullen twee spelers opvangen, zodat je in ieder geval elkaar hebt. En als we winnen, ga ik uiteraard ook mee! Dan kun je me altijd bellen en vertaal ik alles voor je. Maar voordat jullie je daar druk om gaan maken, moeten we wel eerst winnen!'

Hij pakte een formulier. 'Dit moeten we invullen als we mee

willen dingen naar die prijs. Wat denken jullie, meiden? Zullen we meedoen of niet?!'

Het 'ja!'-gegil overstemde het laatste deel van zijn zin en Simon lachte.

'Nou, goed dan, dan geef ik ons op. Hockeyteam de Sterren. En als we winnen, moet je natuurlijk thuis wel vragen of je mee mag. Maar er kunnen...' hij telde even snel op zijn vingers, '...ongeveer achtentwintig teams meedoen, dus de kans dat we winnen, is niet zo groot. Nou meiden, geniet van de sneeuw. Zo te zien blijft het nog wel even doorsneeuwen!'

Field hockey

In het Engels heet hockey 'field hockey' – veldhockey dus. Dat is zo omdat ze anders denken dat je het over ijshockey hebt, want in bijvoorbeeld Amerika en Canada is ijshockey een veel grotere sport dan 'veldhockey'.

Ze keken allemaal naar buiten, waar de velden langzaam onder een wit dekje van sneeuw verdwenen. 'Ik zie jullie bij het CD-feest en anders...'

'In Londen!' riep Florine blij.

'Eh... ik bedoelde eigenlijk gewoon op de training van drie februari!' lachte Simon.

'Stel je voor, Juul! Londen! En dat met kerst... Het schijnt daar zo mooi te zijn met kerst, alle straten versierd en zo!' Florine trok haar capuchon wat strakker, zodat haar gezicht verdween in de rand van nepbont. 'Koud hoor, zo met die sneeuw. Maar wel leuk! Ik hoop dat het even doorsneeuwt, ik vind het zo mooi als alles wit is! Doet me denken aan wintersport, jou niet?'

Julia trapte verwoed tegen de vallende sneeuw in. 'Geen idee, ik ben nog nooit op wintersport geweest. Pap wilde altijd wel een keer, maar ja...' Ze zuchtte. 'Dat zal nooit meer gaan. En voor mama hoeft het niet zo nodig, die houdt meer van de zon. Trouwens, ze had een 'verrassing' voor Vlinder, Nick en mij.' Vlinder was het jongere zusje van Julia, en Nick haar oudere broer. 'Ze... Vanavond gaat ze uit eten.'

'Leuk! Waar gaan jullie heen?'

'Wij niet. Zij. En een man. Voor het eerst sinds papa dood is, gaat ze uit met een man...' Julia glibberde opeens weg met haar fiets, gilde en kon nog net overeind blijven. Ze duwde haar sticktas weer recht op haar rug. 'Bah! Daarom haat ik sneeuw!'

'Jee, wat vind je daarvan? Dat ze uitgaat met iemand? Is hij al haar vriend of zo?'

Julia blies langzaam wat lucht uit. 'Weet niet. Het is natuurlijk wel ruim twee jaar geleden... maar toch. Ik zit er niet echt op te wachten, maar mam heeft het uitgelegd. Dat ze gewoon eens een keer met hem uit wil en dat ze elkaar kennen via kennissen van mam. Het schijnt dat hij papa ook nog heeft gekend. Het is wel raar.'

'Ja, lijkt me moeilijk.' Florine veegde wat sneeuwvlokken van haar kraag. 'Maar misschien is hij superaardig. Of gaat ze gewoon een keertje met hem uit en dan nooit meer. Hé, hoe is het op de YSTA?'

Julia zat sinds een paar maanden op de Young Sports Talent Academy, een speciale club voor kinderen die veel sporttalent hebben. Daar trainde ze onder leiding van Jacomijn Belting, een van de tophockeysters uit Oranje. Florine had ook geprobeerd op de YSTA aangenomen te worden, maar dat was net niet gelukt. Eigenlijk vond ze dat achteraf niet zo heel erg, Julia had nu minstens driemaal per week training.

'Goed, het is er zo leuk! En we leren zo veel! Weet je, Flo, ik denk echt dat ik later prof wil worden. En Jacomijn zegt dat het erin zit, als ik het echt wil...' Julia droomde, leefde en ademde hockey. Van alle speelsters van hun team had zij verreweg het meeste talent. Toch wilde ze niet overstappen naar de M8D1, wat al vaak was aangekaart door de club. 'Mijn vriendinnen zitten in D3. Dus ik ook. En bij YSTA train ik wel verder.' Maar wanneer het moment zou komen om naar een elftal over te stappen, zou ze waarschijnlijk niet bij haar vriendinnen kunnen blijven. Dan zou ze meteen in het eerste team komen, dat wist ze wel. En dat was ook het goede moment, vond Julia, om op een hoger niveau te gaan spelen. Maar voor nu wilde ze vooral graag bij Florine in het team blijven.

'Weet je wat ik echt wil?' Florine keek haar aan. 'Naar Londen!'

2

Julia lag op haar moeders bed, met een hand onder haar kin. Ze staarde naar haar moeder.

'Deze? Of deze?' Mam hield bij ieder oor een andere oorbel.

'Die.' Julia wees naar de gouden knopjes. 'Die heb je van papa gekregen. Dan kun je vanavond nog eens aan hem denken...'

Mams hand haperde even en ze keek via de spiegel naar Julia. 'Ik zal papa echt niet vergeten, hoor,' zei ze zacht. 'Maar Juultje, ik zou het wel weer eens fijn vinden om iemand te vinden met wie ik kan praten, lachen en samen naar de film kan of zo.'

'Dat kan ook met ons...' mompelde Julia.

'Ja, als ik naar animatiefilms wil. Of naar een romantische komedie. Of naar een horrorfilm met Nick. Maar als ik naar een Koreaans psychologisch drama wil, heb jij daar vast geen zin in...' Mam knipoogde.

'En hij wel?' Julia draaide zich op haar rug en staarde naar het plafond.

'Ja, Rob wel.'

Rob. Hij heette dus Rob... Julia blies haar wangen bol. 'Rob

Donderop...' mompelde ze zacht.

Haar moeder ging op het bed zitten en streek Julia over haar haren. 'Weet je, hij is echt aardig. Ik wil hem graag beter leren kennen. En als ik hem goed genoeg ken en hem nog steeds aardig vind, dan stel ik hem aan jullie voor. Niets overhaast. Dan kunnen jullie ook wennen aan het idee dat ik weer een man leer kennen. Hij heeft trouwens ook kinderen, dus voor hen zal het ook niet makkelijk zijn dat hij met mij uitgaat. Ze zijn geloof ik twaalf en vijftien. Maar dat is eigenlijk nog niet echt van belang. Goed,' ze stond op en streek haar jurk met haar handen recht, 'Vertel me maar eens iets leuks. Je zei tijdens het avondeten iets over Londen?'

'Ja!' Julia veerde op en vertelde over de lustrumfeesten en de tombola.

'Dat klinkt leuk! Dus als jullie winnen, mogen jullie het weekend voor kerst naar Engeland? Maar dat is al over drie weken! Wanneer weet je dat dan?'

'Volgend weekend tijdens het CD-feest wordt de uitslag bekendgemaakt!' grijnsde Julia. 'Het lijkt me zo waanzinnig als we als team zo'n prijs winnen! Ik zou toch wel mee mogen dan, hè mam?'

Haar moeder keek haar onderzoekend aan. 'Ik denk het wel. Als jullie een goede chaperonne hebben!'

'Wat is dat? Een koffiesoort of zo?'

'Haha! Nee, een chaperonne is een begeleider. Want jullie zijn natuurlijk te jong om alleen te gaan.'

'Simon gaat mee.'

'Nou, we zien wel. Kom, help me even een geurtje uit te zoeken, ik moet over een paar minuten weg!'

'Dus om elf uur staan we op de parkeerplaats en halen we jou, Julia en Emma op.' Florines moeder zette haar bril even af en bekeek haar dochter. 'Je ziet er schitterend uit, lieverd...'

Florine keek in de spiegel. Ze had een mooie zwarte tuniek aan op een witte legging en daaronder zwarte laarsjes met een klein hakje, geleend van haar zus Harriët. En omdat het feest was, had ze ook wat mascara op mogen doen.

'Bedankt, mam. Ik heb er zo'n zin in! En dan is vanavond ook die tombola nog! De prijzen die je kunt winnen, die zijn zo waanzinnig...!'

'Dat weet ik,' zei mam lachend. 'Dat heb je namelijk al een keer of 87 gezegd!'

Het clubhuis was prachtig versierd, er stond zelfs al een kerstboom op het podium. Een dj draaide muziek, nog niet enorm hard, omdat iedereen nog binnendruppelde. Julia, Emma en Florine gaven hun jassen af bij de garderobe en kochten consumptiebonnen.

'Wow! Snoep kost maar 10 cent per stuk!' Florine wees naar de tafel met snoep. 'Lekker!'

'Zullen we eerst wat drinken? Zouden ze iets warms hebben? Ik heb het echt steenkoud!' Julia bibberde nog wat. Buiten lag een dik pak sneeuw, want de hele week was er sneeuw gevallen. Ze waren hierheen gebracht door de moeder van Emma, die glibberend en glijdend door de straten gereden had.

Emma wees naar een hoek. 'Daar heb je Eva, Sofia en Pip. Zullen we bij hen gaan staan?'

'Wow! Wat zien jullie er mooi uit, dames!' klonk achter hen de stem van coach Simon. Ze draaiden zich om en daar stond hij, in kerstmanpak.

'Pfff!' proestte Julia. 'Dat kunnen we van jou niet zeggen!'

'Ho ho ho! Een beetje respect, jongedame!' lachte Simon, terwijl hij het kussen dat zijn buik rond en dik moest maken een stukje omhoog schoof. 'Maar jullie zien er echt feestelijk uit! Ik zie jullie natuurlijk alleen maar in sportkleding. Nou, gedraag je en veel plezier! De jongens staan daar! Ho ho ho!' Hij verdween in de massa.

'De jongens? Waarom zouden wij bij de jongens willen gaan staan?'

Ze keken alle drie naar de hoek waar de jongens stonden. Die waren luidruchtig met elkaar aan het praten.

'Ik weet niet, hoor, maar ik vind de meeste jongens zo... stom doen. Kinderachtig.' Julia wees naar wat jongens uit de C3. Een van hen deed of hij een sigaret in zijn mond stak. 'Dat bedoel ik. Zo stom. Kom, ik wil snoep kopen en lekker dansen!'

'Nou,' Florine bleef even staan en fluisterde: 'Ik vind die Daan uit de C4 anders best leuk ...'

'Daan van Bergen?! Nee! Echt?! Die is zo... Nou, echt een jongetje nog.' Julia keek haar vriendin verbaasd aan.

'Niet! Hij is al dertien, hoor. En superleuk!' Florine keek bestraffend terug.

'Het zal wel. Ik ga me voorlopig nog helemaal niet bezighouden met jongens! Daar heb ik geen tijd voor!' Julia haalde een consumptiebon uit haar tasje.

'En die Philip dan? Van de YSTA? Die vond je toch zo leuk?!' Florine en Emma liepen met haar mee naar de snoepverkoop.

'Eh... ja. Maar dat is geen jongen van hier en bovendien, ik wil me daar concentreren op mijn hockeytechnieken, niet op Philip! Wie wil er een dropveter? Of een kers?'

'Hoe ging trouwens dat afspraakje van je moeder? Hebben we het eigenlijk helemaal niet meer over gehad.' Florine koos een zure mat en keek Julia vragend aan.

Die haalde haar schouders op.

'Wel goed, geloof ik. Ze was in ieder geval heel vrolijk de dag erna. En ze heeft hem van de week denk ik al wel vier keer aan de telefoon gehad. Van die echt lange gesprekken, als ik al in bed lig. Ik weet niet hoor, ik denk dat ze verliefd aan het worden is... Ik geloof dat ze deze week weer hebben afgesproken, een of andere tentoonstelling of zo. Maar ik heb helemaal geen zin om over mama en Rob Donderop te praten, ik wil feesten!'

'Heet hij zo?' Florine keek Julia verbaasd aan. 'Rob Donderop?! Rare naam.'

'Nee, maar ik wil dat wel. Dat hij opdondert!' Julia klonk fel en draaide zich toen om naar de dansvloer.

De hele avond kletsten en dansten ze met vriendinnen uit hun eigen team en die uit andere teams.

'Wat een superfeest!' Julia wiste wat zweet van haar voorhoofd. 'En wat is het hier heet!'

'Ik dacht dat jij het zo koud had!' lachte Florine. 'Ik begrijp niet dat Jasmijn dit niet leuk vindt!'

'Nee, die zit nu op de bank televisie te kijken...' Julia haalde haar schouders op. 'Raar hoor!'

'En dan nu...' klonk een mannenstem door de luidsprekers,

'...het moment waarop iedereen heeft gewacht! De tombola!'

De dj zette de muziek uit, er gingen wat meer lichten aan en iedereen keek naar het podium, waarop de voorzitter van HC Sterrenhout stond.

'Zoals jullie weten is onze club nu vijftig jaar oud en in die tijd hebben we veel titels gewonnen. We zijn trots op ons prachtige clubhuis, de mooie kunstgrasvelden en onze geweldige, sportieve leden! Zonder jullie zou HC Sterrenhout niet zijn waar het nu is en daarom doen we graag iets terug! Deze keer kun je geen titel winnen of een beker, maar prachtige prijzen, aangeboden door onze vele sponsoren.'

Iedereen klapte en een paar jongens floten op hun vingers.

Florine onderdrukte de kriebels in haar buik. Best spannend, zo'n loterij!

'We beginnen met een geweldige prijs: nieuwe hockeysticks voor een heel team.' De voorzitter gebaarde naar de emmer die naast hem op een barkruk stond. 'Hierin zitten alle teams vanaf de achttallen. De papiertjes met de namen van de teams zitten opgevouwen in kleine, doorzichtige balletjes, net als deze hier.' Hij hield een balletje met daarin een papiertje omhoog. 'Achtentwintig balletjes. Ik wil graag hulp hebben.' Hij tuurde de aanwezigen rond en wees naar een meisje. 'Jij daar, kom jij me even helpen met de tombola?'

De speelster uit MD1 klom het podium op.

'Dat is Susanne, die schijnt heel goed te zijn!' fluisterde Florine tegen Julia.

'Goed in tombola's?!' grapte Julia.

Susanne stak haar hand in de emmer en pakte er een balletje uit, draaide de twee helften van elkaar en vouwde het papiertje

open voordat ze het aan de voorzitter gaf.
'Het winnende team voor de hockeysticks is... JD2!' Er klonk gejuich vanuit de zaal, waar de jongens van D2 elkaar high fives gaven.
'En weer een mooie prijs, een clinic door Heike Maaijer, inclusief een lunch, gaat naar...' Hij gebaarde dat Susanne een balletje moest pakken.
'Ik hoop dat wij dat winnen!' Julia keek vol spanning naar het podium. 'Heike is echt zo'n superspeler!'
'...Dames 2! Die zijn er nu helaas niet – dit is tenslotte een CD-feest, maar we zullen zorgen dat ze de prijs krijgen! De volgende prijs is ook erg mooi. Prachtige trainingspakken voor het hele team, gewonnen door...'
Susanne pakte weer een balletje.
'...de jongens van B3!' De voorzitter hield het papiertje omhoog. 'Die zullen ook erg blij zijn met hun prijs! En dan de laatste prijs. Een geweldige reis naar Londen, waar het winnende team te gast zal zijn bij HC Swiss Cottage. Die reis is al volgend weekend, dus als je wint, kun je meteen je koffer gaan pakken!'
Susanne pakte een balletje.
Florine kneep even in Julia's arm. Naast haar stonden Sanne en Pleun, en Florine kneep ook even in Sannes hand.
'Die geweldige prijs...' zei de voorzitter en hij vouwde langzaam het papiertje open, 'is gewonnen door... M8D3, Hockeyteam de Sterren!'
'Ho ho ho!' riep Simon hard.
De meiden van M8D3 pakten elkaar vast en sprongen gillend op en neer.
'We gaan naar Londen!' juichte Florine en ze omhelsde Julia.

'Yes!' gilde Julia terug.

'Kom maar eens op het podium, Sterren!' riep de voorzitter. 'En die kerstman moet ook even komen!'

Glunderend stonden de meiden op het podium. Simons baard was afgezakt en de dikke buik hing inmiddels bijna op zijn knieen van het op en neer springen met de meiden.

'Meisjes, gefeliciteerd! Jullie gaan vrijdag naar Londen en zullen er twee nachten verblijven. Jullie krijgen straks een brief mee met alle gegevens voor jullie ouders. En wij willen natuurlijk allemaal een uitgebreid verslag zien voor op de website, met foto's en alle verhalen. Geef ze nog een keer een groot applaus, de meiden van M8D3!' riep de voorzitter.

Simon trakteerde op drinken voor het hele team. Ze stonden met elkaar in de hal van het clubhuis. De voorzitter gaf aan ieder van hen een brief met de details van de reis. 'Hier staat alles op. Hoe laat jullie vertrekken, met welke treinen, welke zaken je bij je moet hebben, zoals een paspoort of een identiteitskaart. In Engeland hebben ze geen euro's maar ponden, dus je moet wat geld gewisseld hebben voor als je wilt winkelen. Er gaan twee begeleiders mee: jullie coach Simon en zijn vrouw Carla. De rest staat hier allemaal in. Ik geef er een extra brief bij, die we graag uiterlijk dinsdag weer in ons bezit hebben, want we willen wel dat jullie ouders schriftelijk toestemming geven voor deze reis. Nou, dat was het! Nogmaals gefeliciteerd met deze superprijs!'

'Superreis bedoelt u!' riep Daisy. 'Jee, ik hoop dat ik wel mag...'

Sofia kreeg net een enorme hoestaanval. Ze liep rood aan. Simon klopte haar even op de rug.

'Gaat het, Sofia? Volgens mij blaf je de hele avond al als een hondje...'

'Ja,' mompelde Sofia hees, 'ik heb een beetje keelpijn, maar dat komt wel goed.'

'Natuurlijk mogen we mee!' zei Florine en ze keek Daisy aan. 'Zoiets gunnen onze ouders ons toch wel gewoon?!'

'En iemand moet Jasmijn op de hoogte stellen!' Julia keek naar Simon. 'Want zij was er vanavond niet.'

'Ik ga morgen wel bij haar langs met de brief,' zei Simon. 'Londen, *here we come!*'

3

Haar moeder keek mee over Julia's schouder naar de stapel kleding die op haar bed lag. Ze las de lijst nog een keer hardop: *'Paspoort, warme kleding, warme schoenen, regenjack (het is tenslotte Engeland...), medicijnen, boek om te lezen in de trein, geld om te shoppen, lunch voor de heenreis, pyjama, knuffel, tandenborstel en heel veel zin in deze reis! Een Engels woordenboek is ook prettig.'*

'Alleen mijn tandenborstel nog niet, mam, die heb ik morgenochtend nog nodig.' Julia pakte de grote reistas van de grond en begon haar spullen in te pakken.

'Heb je er zin in?' Mam hielp haar.

'Jawel! Alleen is het ook best spannend... zo'n trein onder Het Kanaal en zo. Die trein rijdt dus eigenlijk gewoon onder de zee... Wat nou als er een gat in die tunnel komt?! En hoe lang ben je eigenlijk onder water? Dat is best een eng idee...' Wat ze er niet bij zei, was dat ze mam ook zou missen. Julia had soms last van heimwee. Zeker sinds pap was overleden, waren zij en mam zo hecht met elkaar dat Julia zelden ergens wilde logeren.

Mam ging op haar bed zitten. 'Ik denk dat je er niets van merkt als je door de tunnel gaat. Je gaat niet opeens het water in of zo. En er rijden dagelijks wel tien treinen door die tunnel, dus dan zal het wel veilig zijn. Hier, in deze envelop zitten ponden. Ik heb genoeg voor je gewisseld zodat je voor jezelf iets leuks kunt kopen en ook iets voor ons. En dit cadeautje,' ze wees op een pakje, 'is voor je gastgezin. Het zijn tulpenbollen. Wat leuk trouwens dat jij en Florine bij hetzelfde gezin zijn geplaatst! De...' ze bestudeerde de lijst nog een keer, '...Patels. Een dochter van jullie leeftijd, Elizabeth, en een zoon die iets ouder is, Oliver. Klinkt gezellig!'

'Maar ik spreek bijna geen Engels, mam,' Julia schraapte haar keel, 'en Flo ook niet.'

'Ach lieverd, dat wijst zich vanzelf. Dat begrijpen die mensen echt wel, en met het woordenboek red je je best. Bovendien ben je overdag vaak weg en zul je er voornamelijk slapen. En dan hoef je niet te praten. Al helemaal niet in het Engels!'

Maar toch. Julia had het geweldig gevonden dat ze deze prijs hadden gewonnen, maar de dag na het feest was opeens tot haar doorgedrongen dat het betekende dat ze drie dagen van huis was. Zo lang was ze nog nooit van haar moeder weg geweest! En naarmate de dagen verstreken, was de opwinding omgeslagen in zenuwen. Ze had vannacht nauwelijks geslapen van de spanning en zelfs even zacht in haar kussen gehuild.

'Jammer dat Eva niet meegaat!' Mam vouwde een nachthemd op en stopte het in de tas.

Eva had niet meegekund. Zij en haar ouders zouden die zondag op skivakantie gaan en dat kon niet verzet worden. Eva had het jammer gevonden maar wel gezegd dat ze toch liever ging skiën met haar ouders.

'Maar verder gaat toch iedereen mee?'

Julia knikte. 'Ja, voor zover ik weet tenminste.' Ze keek naar haar propvolle tas. 'Nou, dat is het wel, geloof ik. En dan nog een lunch voor morgenochtend.'

'Ik heb al lekkere worstenbroodjes en eierkoeken voor je gekocht!' zei mam terwijl ze opstond.

Julia slikte en zonder dat ze er iets aan kon doen, begonnen de tranen over haar wangen te stromen.

Haar moeder keek verbaasd om toen ze haar hoorde snikken. 'Wat...?! Wat is er?' Ze pakte Julia bij haar schouders beet en keek haar indringend aan.

'Ik... weet het niet.' Julia snikte en sloeg haar armen om haar moeders middel. Ze verborg haar gezicht in mams T-shirt.

Mam streelde haar haren. 'Heb je geen zin? Gaat dit om die trein? Lust je geen worstenbroodjes?'

Ondanks alles moest Julia door haar tranen heen lachen. 'Ik ben dol op worstenbroodjes. Maar... ik ben nog nooit zo lang van huis weg geweest en ik...' ze begon weer hard te snikken, 'ik ga jou zo missen!'

'Ach meisje...!' Mam kuste haar op haar haren. 'Voor je het weet, zijn die twee nachten voorbij! En je hebt Florine bij je, je kunt altijd bellen en het gaat een enorm leuke reis worden, dat weet ik zeker!'

'Kun je niet mee dan?'

'Nee, al zou ik dat wel geweldig vinden! Weet je, jij gaat lekker met je team naar Londen en je hebt het daar super, afgesproken?!' Mam pakte Julia's gezicht tussen haar handen en droogde met haar duimen Julia's tranen. 'Voor je het weet, is het weer voorbij en ben je weer thuis! Kom, we gaan een potje thee zetten en nog even samen televisiekijken. Morgen moet je vroeg op!'

Het was druk op het station. Bijna alle ouders waren er en Simon was bezig met hun treintickets en het verzamelen van hun paspoorten.

Florine stampte met haar voeten om ze warm te houden. Er waaide een ijzige wind over het perron.

'Dus je hebt alles?' Haar vader keek nog een keer naar de koffer op wieltjes.

'Ja, alles!' Florine grijnsde. 'Alles en nog meer! Ik geloof dat mam voor drie weken heeft ingepakt in plaats van drie dagen!'

'Je weet maar nooit,' lachte haar moeder. 'Wie weet heb je het allemaal nodig!'

'Een bikini?' Florine rolde met haar ogen. 'We gaan naar Londen, mam, daar is het net zo goed winter als hier!'

'Ja, maar misschien ga je nog wel zwemmen of zo. In een binnenzwembad natuurlijk. Nou ja, je kunt hem maar beter bij je hebben!'

Op dat moment rolde de trein het station binnen.

'Goed!' Simon klapte in zijn handen en gebaarde dat iedereen dichterbij moest komen. 'Even luisteren! Iedereen neemt zijn eigen tassen mee. We zitten allemaal in rijtuig tien, de stoelnummers staan op je ticket. We rijden nu eerst naar Brussel en daar stappen we over op de Eurostar. Blijf bij je maatje, verlies elkaar niet uit het oog. Nou, nog even je ouders knuffelen en dan gaan we, meiden, op naar Londen!'

Iedereen begon opgewonden afscheid te nemen.

Julia slikte en gaf haar moeder nog een stevige omhelzing.

'Geniet er vooral van, schat! Je verdient het!' fluisterde haar moeder in haar oor. 'Bel me anders vanavond maar, als jullie bij je gastgezin zijn.'

Julia knikte, pakte haar weekendtas op en liep achter Emma, Pleun en Daisy de trein in. Ze had nauwelijks tijd om zich om te draaien en te zwaaien, want ze werd door degenen achter haar vooruit geduwd. Alle meiden probeerden zo snel mogelijk bij hun stoel te komen. En tegen de tijd dat ze haar tas in het bagagerek had gezet, haar jas uit had gedaan en haar tijdschrift voor onderweg had gepakt, zette de trein zich al in beweging.

De meiden van M8D3 zwaaiden enthousiast naar hun ouders. Behalve Pleun – Simon en Carla waren haar ouders, dus zij hoefde geen afscheid te nemen, dacht Julia jaloers.

Florine plofte naast Julia op de met blauwe stof beklede stoel. 'Heerlijk, we zijn weg! Harriët was zo jaloers, haha! Heb ik ook eens iets wat mijn zus niet heeft! Hier, ik heb een boekje gekregen van pap en mam, met allemaal tips wat leuk is om te doen en waar je moet shoppen en zo. Ik wil echt naar Harrods, dat is een enorm warenhuis met de duurste spullen, zoals diamanten hondenbanden! Dat moet ik zien! En hier, Hamleys, dat schijnt de grootste speelgoedwinkel te zijn die er bestaat, vijf verdiepingen speelgoed! En hier staat dat je heerlijke scones en taartjes kunt eten bij...' Florine ratelde enthousiast verder en Julia grijnsde even. Als er iemand was die haar kon laten vergeten dat ze heimwee had, was het Florine wel.

'Hé, waar is Sofia eigenlijk?' Sanne richtte zich op en keek alle stoelen langs. 'Heeft iemand Sofia al gezien? Was ze eigenlijk wel op het station?'

'Nu je het zegt... ik heb haar niet gezien geloof ik, maar het was ook zo druk met alle ouders en zo, dat ik er niet op heb gelet.' Jasmijn boog zich vanaf de andere kant van het gangpad naar hen toe. 'O jee! We zullen haar toch niet op het station hebben achtergelaten?!'

Verschrikt keken ze de coupé rond.

'Simon? Simon! We zijn Sofia vergeten!' riep Sanne naar Simon, die met Carla zat te kletsen. De trein denderde inmiddels met grote snelheid langs weilanden en kleine dorpjes.

Simon stond op en liep naar de meiden toe. 'Nee, we zijn Sofia niet vergeten. Haar ouders hebben vanochtend gebeld dat ze ziek is.'

'Ah! Wat rot!' Daisy sloeg geschrokken haar hand voor haar mond. 'Ze msn'de gisteren inderdaad dat ze zich niet zo lekker voelde, ze moest op het feest ook al zo hoesten!'

'Wat heeft ze?' Florine keek Simon vragend aan.

'Griep, geloof ik dat haar moeder zei. Ze had vanochtend in ieder geval 39 graden koorts. Nou ja, niks aan te doen. Misschien kunnen we met z'n allen iets leuks voor haar uit Londen meenemen. Nou meiden, over een uurtje zijn we in Brussel. En over drieënhalf uur lopen we in Londen,' grijnsde Simon. 'En dan is het daar pas half één in de middag!'

'Hè? Hoe kan dat nou?' Julia keek op haar horloge en rekende snel. 'Dat kan niet hoor, over drieënhalf uur is het half twee.'

'Niet in Londen. Daar loopt de tijd een uur achter!'

'Dus we hebben eigenlijk een uur Londen extra?!' Florine grijnsde. 'In een uur kan ik veel shoppen, hoor!'

'Zoals een diamanten halsband voor je hond zeker!' grijnsde Julia.

Anderhalf uur later stapten ze met elkaar in de Eurostar, de trein die hen naar Londen zou brengen. Ze deden spelletjes en de trein reed door Frankrijk naar de kust.

Na een poos keek Julia op. Buiten zag ze niet veel, want ze reden nu door een verlichte tunnel. 'Hoe lang duurt het nog voor we onder de zee gaan?' vroeg ze aan Simon, die achter hen zat. 'Moeten we dan zwemvesten aan voor de zekerheid?'

Simon lachte hard. 'Kijk eens naar buiten!'

Julia keek. Ze zag nog steeds hetzelfde als net. 'Ik zie helemaal niets.'

'Precies, we zitten nu al onder de zee!'

Verbijsterd keek Julia weer uit het raam. 'Is dit alles? Ik had gedacht dat het veel enger zou zijn...!' Blij keek ze weer naar buiten. Gelukkig! Hier had ze niet zenuwachtig voor hoeven te zijn.

'Waar gaan jullie heen?' vroeg een stem aan de andere kant van het gangpad opeens.

Julia en Florine draaiden zich naar de oudere vrouw. Haar man lag met zijn hoofd tegen het raam en met zijn mond open te slapen. Ze had rood haar, dat in piekjes omhoog stond, en was uitbundig opgemaakt.

'Londen!' Florine lachte.

'O, leuk. Een schoolreisje?'

'Nee, een hockeyreis!' Florine vertelde van de tombola. '...en dus mogen wij nu naar Londen!'

'Ach, wat leuk! Gefeliciteerd! Ik ga ook naar Londen, naar mijn dochter. Die studeert daar en we gaan de kerstdagen bij haar doorbrengen,' zei de vrouw en op dat moment zagen ze door het raam opeens weer de lucht en schepen in de verte. 'Nou, we zijn in Engeland, *welcome, girls!*'

4

In de grote stationshal van St. Pancras International werden ze opgewacht door een vrouw die zich voorstelde als Anna.

'Good afternoon, welcome to London!' zei de vrouw en ze keek de meiden lachend aan. *'We're very happy to have you!'*

'O jee, ik versta het nu al nauwelijks...' mompelde Emma.

'Dat is dan niet erg, want ik versta en spreek gelukkig gewoon Nederlands,' zei Anna en ze knipoogde naar Emma. 'Ik ben getrouwd met een Engelsman maar ben gewoon geboren in Friesland, hoor! We gaan er ook helemaal niet van uit dat jullie allemaal Engels spreken, maar na deze reis kun je het vast beter verstaan en lezen.'

'Pfiew!' blies Emma opgelucht.

'Ik ben lid van Swiss Cottage en omdat ik uit Nederland kom, ben ik gevraagd jullie vandaag te vergezellen. We hebben een busje geregeld voor jullie, van onze club, en daarmee gaan we vandaag op pad. Om zes uur leveren we dan iedereen af bij hun gastgezin; de meeste wonen dicht bij elkaar in dezelfde wijk. Jullie eten dan met je gastgezin en kunnen daar vanavond lekker bijkomen. Morgen gaan jullie in de ochtend wat mooie dingen bekijken en we gaan naar het paleis van de koningin. Dan mogen jullie 's middags lekker shoppen met jullie coach. 's Avonds is er een bijeenkomst met alle gastgezinnen en dan eten we gezellig samen in ons clubhuis. Zondag maken we in de ochtend nog een wandeling over Portobello Road in Notting Hill en dan hebben jullie nog wat vrije tijd. Die kun je met je gastgezin samen invullen. Daarna leveren we jullie weer met het busje af bij het treinstation, waar jullie de trein van half zes terug naar Nederland nemen. Nou, kom, het busje in! Ik ga jullie Londen laten zien!'

Londen was prachtig, vond Julia, en ze keek ademloos naar de straten die in kerstsfeer waren gebracht. Overal stonden metershoge kerstbomen die schitterend versierd waren met lampjes en ballen, er hingen enorme lichtslingers en er stonden straatverkopers op de stoep met kerstbomen en kerstmutsen. De hele stad leek wel één groot attractiepark. Ze maakten een wandeling door Hyde Park, waar levende standbeelden stonden en waar straatmuzikanten kerstmuziek speelden. Het was erg koud, maar er lag geen sneeuw. Er stonden zelfs een paar rendieren in het park. En overal liepen groepjes kinderen in schooluniformen.

'Ik ben zo blij dat wij dat niet hoeven!' zei Daisy en ze wees op de schooluniformen. 'Dan kun je nooit eens iets leuks aan en iedereen ziet er hetzelfde uit!'

'Ach, het is wel makkelijk hoor,' zei Anna, die Daisy's opmerking gehoord had, 'want je hoeft niet na te denken over wat je aan moet. Bovendien zie je ook geen verschil tussen mensen met veel geld en mensen met weinig geld. En je weet meteen bij welke school een groep hoort.'

'Dragen jouw kinderen dan ook uniformen?' vroeg Florine.

'Ja, heerlijk! Geen discussies over wat ze wel en niet willen dragen!' lachte Anna en Carla knikte.

'Dat zou ik ook wel willen, dan heb je 's ochtends tenminste geen discussie over wat ze aanhebben...' Ze knipoogde naar Pleun.

'Ja, dat is echt een voordeel. In Engeland zijn ze dol op uniforms! Dat is trouwens ook erg makkelijk met shoppen. Wij moeten voor de school allemaal hetzelfde setje kleding kopen. En zelfs dezelfde schoenen en overjas.'

'Dat hoeven wij niet, hoor! Wij mogen zijn wie we zijn!' riep Emma.

'Maar bij jullie op hockey draag je toch ook uniforme kleding? Daar draagt toch ook iedereen hetzelfde?' vroeg Anna.

'Ja, logisch, anders zou je nooit weten wie bij je team hoorde!' zei Pip.

Ze gingen verder. Met de bus kwamen ze langs de Big Ben en in de verte zagen ze een enorm reuzenrad.

'Wow! Die is hoog!' De meiden drukten hun neuzen tegen het raam.

'Ja, dat is de London Eye. Daarin kun je op heldere dagen heel ver over Londen kijken. Een rondje duurt dertig minuten, zodat je ook echt alles goed kunt zien.'

'Gaan wij daarin?' Florine keek verwachtingsvol naar het reuzenrad.

'Nou, het kost erg veel geld. Jullie kunnen er wel op eigen gelegenheid in, zondag, als jullie een vrije middag hebben. Dan pak je gewoon de metro en ben je er zo!'

'Zullen wij dat doen?' Florine boog zich naar Julia. 'Lijkt me geweldig!'

'Nou... als het echt superduur is liever niet, ik wil cadeautjes voor thuis kopen. Maar we kijken zondag wel, oké? Ik begin trouwens echt honger te krijgen, jij niet?' Ze keek naar Florine. 'Het is thuis alweer...' ze keek op haar horloge en rekende een uur vooruit, 'bijna vijf uur. En hier pas vier uur.' Ze dacht even aan mam, die in de keuken zou staan om te koken, kletsend met Vlinder en Nick. Ze zouden de lichtjes in de kerstboom al aangedaan hebben. Julia voelde een scherpe steek van heimwee en keek weer naar buiten. Er liepen werkelijk duizenden mensen door deze stad, en toch voelde ze zich even heel eenzaam.

De bus was inmiddels langzamer gaan rijden en Anna parkeerde hem op een leeg plekje.

'We gaan hoge thee drinken! Dat is een echte Engelse traditie!'

'Hoge thee? Haha, dan staat de ober zeker op een krukje om de thee in te schenken!' Florine stootte Julia aan. 'Hé, niet zo sip hoor!'

Julia keek Florine aan en zuchtte even. 'Nee, ik had alleen... ik...'

'Je hebt heimwee,' zei Florine.

'Hoe weet jij dat?'

'Omdat ik je al veel langer ken, Julia Smit, en je nooit bij mij wilt logeren, maar ik altijd bij jou moet slapen. Maar we zijn in Londen, en we gaan heel hoge thee drinken, dus kom op!' Ze trok Julia overeind, het busje uit.

Hoge thee bleek niet thee te zijn die vanaf een trapje geschonken werd, maar thee met allerlei taartjes, cakejes, room, sandwiches en jam. Iedereen zat aan de gezellige houten tafel in het café, het was er enorm druk.

'Dit doen Engelsen vaak, zodat ze 's avonds niet veel meer hoeven te eten. Dan heb je om een uur of vijf een *high tea* en eet je 's avonds bijvoorbeeld om een uur of half acht iets kleins, zoals soep of hartige taart.' Anna schonk nog wat thee bij.

'Dit moeten we thuis ook doen!' riep Sanne uit. 'Veel lekkerder dan aardappels met spinazie!'

Julia viste ondertussen haar mobiel uit haar tas.

Lieve mam, zit nu aan een hoge thee ☺!
Alles is goed gegaan vandaag, maar mis je wel.
Laf joe! Xxx

Ze legde de mobiel op tafel, misschien zou mam nog terug smsen.

Na drie kwartier moesten ze weg. Anna zou iedereen nu naar het eigen gastgezin brengen. 'En dan morgenochtend, om half tien, halen we jullie weer op,' vertelde ze. 'Dan gaan we langs het paleis van de koningin om het wisselen van de wacht te zien. En we rijden daarna langs nog wat mooie plekken in de stad.'

Ze stapten allemaal druk pratend weer in en het busje vol

hockeymeiden reed naar het adres van het eerste gastgezin. Het lag in een prachtige wijk, met grote vrijstaande huizen.

'Wow... dit is mooi!' zei Sanne en ze wees op het huis waarvoor ze stopten. Het was helemaal versierd met kerstlichtjes.

'Pleun en Jasmijn, dit is jullie adres!' Anna stopte de auto en liep naar een vrouw, die hun al tegemoetkwam. Simon en Carla stapten ook uit, om kennis te maken. Na tien minuten reed het busje verder, terwijl de meiden enthousiast zwaaiden naar Pleun en Jasmijn, die achter waren gebleven.

Bij de volgende stop gingen Simon en Carla eruit. Zij zouden bij de voorzitter van de hockeyclub Swiss Cottage logeren.

'Dat zijn vast miljonairs...' zei Daisy zacht en ze wees op het enorme huis en de butler die opendeed.

Anna lachte. 'Ja, dat zijn ze ook... Swiss Cottage is wel een beetje een chique club. Veel rijke leden en zo. Maar niet alle leden wonen zo groot, hoor!' knipoogde ze in de spiegel. 'Wij zeker niet!'

Daisy en Emma werden afgezet en daarna Sanne en Pip. Die logeerden in een prachtig herenhuis, in een wijk vol met statige panden.

Terwijl Anna de twee meisjes begeleidde naar hun gastgezin, bleven Florine en Julia achter in het busje.

'Benieuwd waar wij terechtkomen...' fluisterde Julia en ze slikte even. Ze was enorm onder de indruk van alle huizen die ze gezien had.

Anna stapte weer in en draaide zich om naar Florine en Julia. 'Op naar het laatste adres!'

Het verkeer in Londen was enorm druk, zelfs in de woonwijken. Florine en Julia moesten er ook aan wennen dat iedereen hier links reed. Toen ze vanmiddag voor het eerst in de bus hadden gezeten, had Julia bijna uitgeroepen dat Anna op de verkeerde weghelft zat, totdat ze had gezien dat iedereen zo reed. Nu waren ze er al wat meer aan gewend, maar het bleef raar dat de bestuurder ook aan de andere kant zat.

Ze reden naar een rustig deel van de woonwijk. Her en der waren kleine winkeltjes met oosterse tekens op de gevel. Anna had hun eerder op de middag uitgelegd dat er in Londen veel verschillende nationaliteiten woonden, dat er zelfs een deel van de stad was dat China Town heette, waar alle naamborden in het Chinees waren. 'Dat zien jullie morgen wel,' had ze eraan toegevoegd. Ze had ook verteld dat ze zelf met een Indiaas-Engelse man was getrouwd. 'Hij woont hier al heel zijn leven, zijn vader is Engels, zijn moeder komt uit India. Je ziet hier veel Indiërs, vooral omdat India vroeger een kolonie van Engeland was.'

Nu stopte de auto op een lege parkeerplaats in de straat.

'Pfiew, er is gelukkig plek! Soms moeten we de auto zo ver weg zetten!'

Ze keken uit het raam naar het leuke herenhuis waar ze voor stopten. Het had een tuinhekje, maar niet echt een voortuin. Florine en Julia stapten uit en keken verwachtingsvol naar de deur, wachtend tot ze begroet zouden worden door hun gastgezin.

Anna pakte hun koffers en deed de portieren op slot. 'Zo, gaan jullie mee?'

Op dat moment ging de voordeur open. Twee kleine hondjes vlogen blaffend de trap af naar buiten. Ze sprongen tegen Anna op en daarna tegen Florine en Julia.

Een meisje verscheen in de deuropening. *'Hi mummy!'*
'Ha liefje! Harry, Potter, af! *Down! Sit!'*
'Harry Potter?!' Florine grinnikte.
'Mummy?!' fluisterde Julia verbaasd.

5

'Welkom meiden, bij ons thuis!' Anna wees naar het meisje dat in de deuropening stond. 'En dat is mijn dochter Elizabeth. Ze spreekt een klein beetje Nederlands en ze verstaat het ook, hè schat?'

Julia haalde opgelucht adem. Wat fijn dat ze bij Anna zouden blijven! Die sprak gewoon Nederlands en voelde vertrouwd na deze dag. Er viel een enorme last van haar schouders terwijl ze Anna, de hondjes Harry en Potter en Elizabeth naar binnen volgde, het gezellige huis in. In de woonkamer ving ze een glimp van een kunstkerstboom op, waar allemaal pakjes onder lagen.

Ze liepen achter Anna de keuken in, waar een vrouw stond te koken. De keuken rook naar kruiden en kaneel. Anna zei iets in het Engels en wees naar Julia en Florine. De vrouw lachte, maakte haar handen schoon aan haar schort en gaf hun een hand. Ze knikte vriendelijk.

'Dit is ons nichtje, Seema. Ze is een paar maanden over uit India. Ze is zojuist afgestudeerd en nu komt ze in Londen nog wat vakantie houden voordat ze gaat werken. En voor ons is het wel zo gezellig dat Seema er is! Ze spreekt gewoon Engels hoor, alleen geen Nederlands. Lizzy, laat je de meisjes zien waar ze slapen? Misschien willen jullie je even opfrissen. Zullen we zeggen dat we over een halfuurtje eten? Oliver is samen met zijn vader naar polotraining, dus die eten niet mee. Oliver is mijn zoon.' Anna pakte een pak sap uit de koelkast en vulde wat glazen.

'Leuk, waterpolo...' Florine was de eerste die iets zei. Ze nam een glas van Anna aan.

'Waterpo...?! O! Haha! Nee, polo. Gewone polo. Met paarden. Een soort hockey eigenlijk wel, maar dan zittend op een paard. Adnan, mijn man, doet aan polo en Oliver gaat soms mee om te kijken. Het is alleen best ver, de stallen en velden zijn ongeveer drie kwartier rijden hiervandaan. Dus dan eten ze wat op de club en ik verwacht dat ze rond tien uur vanavond thuis zijn.'

Hockey op een paard! Julia keek haar met open mond aan.

'Adnan heeft zijn eigen paarden. Als je polo speelt, is het handig om eigen paarden te hebben en omdat er in Londen zelf weinig ruimte is voor grote speelvelden, zijn de poloclubs allemaal buiten de stad. De paarden hebben daar lekker de ruimte.' Anna pakte een stapel post van de tafel en bekeek deze even snel.

'Staan die paarden daarna dan ook hier?' Florine keek geïntrigeerd rond. Misschien was er wel een stal in de achtertuin.

'Nee zeg! Doe me een lol! De paarden blijven altijd op de club. We hebben er drie, bij polo kan je paard niet een hele wedstrijd meedoen, dat is te vermoeiend, dus dan wissel je steeds van paard.'

'Dan zijn jullie wel echt rijk...' flapte Julia er uit en ze sloeg verschrikt een hand voor haar mond.

Anna glimlachte. 'Nou, dat valt wel mee. Maar Adnan is gewoon gek van polo en hij is heel goed. Dus in plaats van allemaal op vakantie te gaan, hebben we gespaard voor de paarden. En hij heeft een hele goede sponsor, want anders zouden we het niet kunnen betalen. Gelukkig hebben we allebei een redelijk goede baan. Dat scheelt ook.'

'Wat doe jij dan?' Florine zette haar lege glas weg.

'Ik ben psychologe,' zei Anna. 'Ik heb een eigen praktijk. En vandaag was ik lekker vrij om met jullie op te trekken. Lizzy, laat hun de kamer maar even zien, ik ga de post lezen. Jullie krijgen de kamer van Seema, die slaapt dit weekend gezellig bij Lizzy. Liz, kleed je meteen zelf ook even om! Tot zo!'

Lizzy liep voor hen uit de witte houten trap op. Ze droeg een schooluniform bestaande uit een donkerblauwe rok, een donkerblauwe trui en een lichtblauwe blouse. Haar zwarte haren hingen los op haar rug en ze had een prachtig glanzende, toffeekleurige huid.

'You'll sleep here!' zei Lizzy en ze opende een deur. Een prachtig hemelbed stond in het midden en de slaapkamer had een eigen badkamer. Lizzy lachte om de open monden van Florine en Julia. *'It's a nice room...* eh, knap kamer,' grijnsde ze. Ze had een vrolijk gezicht. *'Little* Nederlands praten!'

'Ja, een prachtige kamer...' verzuchtte Julia en ze streek met haar handen over de witte katoenen lakens.

'Mij... kamer daar,' Lizzy wees naar de deur naast die van hen en wenkte de meiden mee. 'Seema *sleeps with me.'*

Elizabeths kamer was gezellig ingericht. Op de muur zat bloemetjesbehang, in een hoek stond een bank en ze had een groot tweepersoonsbed. Er was een bureau en er hing een kleine flatscreen-televisie aan de wand. Op het bureau stond een laptop.

'Knap kamer...' zei Florine en ze lachte hardop, samen met Elizabeth en Julia.

Tijdens het avondeten kletsten Anna, Seema, Lizzy, Julia en Florine afwisselend over hockey, de polopaarden, vakanties in Nederland – het gezin Patel ging minimaal eenmaal per jaar naar Nederland op bezoek bij Anna's familie – en dingen die Lizzy leuk vond aan Nederland.

'*I love to...* eh... fiets!' riep ze uit.

Anna knikte. 'Ja, fietsen in Friesland, dat vinden we erg leuk! Hier kun je niet echt veilig fietsen. Maar bij oma heb je een fiets staan, hè schat?!'

Lizzy knikte. '*I also love...* drop!'

'Maar als je niet naar school fietst, hoe doe je dat dan?' vroeg Julia.

'Lopen. Het is niet zo ver. En soms met de auto.' Anna begon het bestek op de borden te leggen om af te ruimen.

'En tussen de middag dan?' vroeg Florine door. 'Ga je dan ook lopend naar huis?'

Lizzy keek naar Anna, die een woord voor haar vertaalde.

'*No, we eat at school.* We... eet in school... kantine!'

'Een echte kantine? Met broodjes en zo?' Julia pakte haar bord en stond op om het weg te brengen.

'Hier in Engeland eten kinderen warm op school, tussen de middag. Ze komen niet naar huis, zoals in Nederland, ze blijven allemaal over. Maar de scholen zijn dan ook pas rond vijf uur uit, hoor. Daarom eten mensen in Engeland in de avond vaak ook iets makkelijks. De kinderen hebben immers op school al warm gegeten. En we eten 's avonds altijd wat later dan in Nederland.'

Seema lachte om iets en hield even haar handen verdedigend omhoog naar Lizzy.

'Wat heb jij op je hand?' vroeg Julia en ze wees naar Seema's handpalm.

Seema keek naar haar hand en glimlachte. Ze was zonder twijfel een van de mooiste vrouwen die Julia ooit had gezien. Ze had lang, glanzend zwart haar, enorme bruine ogen en ze droeg leuke kleding. Julia had eigenlijk altijd het idee gehad dat mensen uit India arm waren, maar Seema zag er juist chic en prachtig uit.

'This?' Seema wees op de binnenkant van haar hand. *'This is henna. It's a decoration, I went to a wedding yesterday and every woman gets henna hands.'*

'Eh?!' vragend keek Julia naar Anna.

'Dat is henna. Seema is gisteren naar een bruiloft van een vriendin geweest en als ritueel krijgen vrouwen dan mooie hennatekeningen op hun handen. Prachtig, vind je ook niet?'

Julia knikte en bestudeerde de hand, die Seema naar haar uitstrekte.

'Would you like some? I have henna, I could decorate your hands!'

'Ze vraagt of ze bij jou ook zo'n tekening zal maken. Dat kan ze heel goed, hoor! En het gaat er in ongeveer een week tijd vanzelf af.' Anna stond op met een stapel borden.

'Ja! Leuk! Eh, yes!' Julia keek blij naar Seema, die nu ook haar stoel naar achteren schoof en meehielp met afruimen. Ze hadden een heerlijke curry gegeten, met rijst en groenten. Zelfs Florine, die eigenlijk nooit van pittig eten hield, had het lekker gevonden.

Florine geeuwde en keek op haar horloge. Het was pas negen uur, hoe kon ze nou zo moe zijn? O ja, natuurlijk! Thuis was het nu tien uur, en ze was al vanaf half zeven vanochtend op.

Anna zag haar geeuwen en glimlachte. 'Laten jullie de boel maar staan, hoor, ik kan me voorstellen dat je moe bent. Ga maar lekker naar bed als je wilt.'

Florine knikte. 'Graag! Jij ook, Juul?'

Maar Julia schudde haar hoofd. 'Ik krijg eerst henna op mijn hand en ik ben nog niet echt supermoe of zo. Ik blijf liever nog even op.'

'Ook goed,' mompelde Florine en ze liep naar de trap. 'Welterusten allemaal!'

'Goodnight!'

Julia liep mee naar de keuken. Nee, als ze in bed zou liggen zou de heimwee vast toeslaan, zo werkte dat nu eenmaal. Dus kon ze maar beter zorgen dat ze zo moe mogelijk naar bed ging, zodat ze meteen in slaap viel en niet zou gaan liggen denken.

Seema gebaarde dat ze zo zou komen.

Julia liep achter Anna aan de keuken in met wat glazen en bestek. 'Ze lijkt wel een filmster, zo mooi...' mijmerde ze.

'Wie, Seema? Ja, ze is heel mooi, maar zeker geen filmster,

haha! Ze is kinderarts, net afgestudeerd. En over twee maanden gaat ze terug naar huis, werken in een ziekenhuis. Maar weet je, eigenlijk zijn bijna alle Indiase vrouwen mooi... Althans, dat vind ik. Ik voel me altijd groot en lomp als we op familiebezoek zijn bij Adnans familie.'

'Ik dacht dat de mensen daar allemaal arm waren. Op het journaal zien ze er altijd arm uit.'

'Ja, dat komt omdat je natuurlijk vooral de rampen te zien krijgt. Daardoor ontstaat eigenlijk een verkeerd beeld van India, want er is wel veel armoede, maar er is ook een hele grote groep mensen die gewoon zijn, niet arm en niet superrijk of zo. En er zijn ook mensen die wel bakken met geld hebben. India is een enorm groot land, met zowel arme als rijke mensen. Alleen is de tegenstelling soms heel groot, omdat arme mensen ook echt op straat leven. Maar zo is het gelukkig niet overal! Seema komt net als Adnan uit Mumbai. Echt een enorme stad! En daar heb je net zo goed winkelcentra als hier in Londen, maar ook arme wijken – ook weer net als in Londen.' Anna zette de borden in de vaatwasser. 'Ach, er zijn nog zoveel vooroordelen over andere culturen en landen. Adnan dacht de eerste keer dat wij elkaar ontmoetten dat ik in Nederland in een molen woonde, alleen maar aardappels at en klompen droeg! Zo, die is vol.' Anna zette de laatste glazen in de vaatwasser en klapte hem dicht. 'Nou, laat jij je handen maar eens mooi maken door Seema, dan zet ik thee.'

Een uurtje later lag Julia in bed. Ze keek nog even in het flauwe schijnsel van het maanlicht naar de beschildering van de binnenkant van haar handen. Sierlijke krullen en bloempjes, hartjes en stipjes, het zag er waanzinnig uit! Ze hoopte dat de henna lang genoeg zou blijven zitten, zodat mam het ook kon zien. Ze rekte zich uit en viel in slaap.

Opeens schoot Julia wakker. Ze staarde in het donker en probeerde zich te oriënteren. Waar was ze? O ja! Londen. In het huis van de familie Patel. En dat geluid waar ze wakker van was geschrokken, dat waren Harry en Potter. Ze hoorde ze hard blaffen beneden. Julia keek naar de wekker op het nachtkastje.

02.34 uur.

Waarom zouden de honden blaffen? Er zou toch geen inbreker zijn?! Ze draaide zich onrustig naar Florine, maar die lag nog vast te slapen.

Harry en Potter hielden op met blaffen en het werd rustig.

Julia lachte even in zichzelf. Wie noemde zijn hondjes nou Harry en Potter? Maar het was wel komisch.

Ze draaide zich weer op haar zij. Hier lag ze dan toch maar, in Londen. En morgen gingen ze leuke dingen doen en zou ze cadeautjes voor Nick, Vlinder en mama kopen.

Zou mam trouwens al een berichtje hebben teruggestuurd? Ze had, sinds ze vanmiddag had ge-sms't, niets meer gehoord, maar ze had vanavond ook niet meer op haar mobiel gekeken, daar was geen tijd voor geweest.

Een van de hondjes sloeg weer even aan en toen werd het opnieuw rustig.

Julia ging rechtop zitten. Had ze haar mobiel vanavond trouwens nog wel gezien? Ze dacht diep na. Ze had mam ge-sms't en daarna had ze haar mobiel weer in haar schoudertas gestopt en...

Ze kneep haar ogen samen. Ze zag opeens haarscherp voor zich hoe ze de mobiel voor zich op tafel had gelegd. Tussen alle bordjes, kopjes en schaaltjes met lekkers... En ze had hem daarna niet meer in haar tas gedaan...

Ze sloeg het dekbed van zich af, knipte haar lichtje aan en pakte haar schoudertas. Ze begon te zoeken en toen ze niet snel genoeg alles kon voelen, kieperde ze de tas in paniek op de grond leeg.

Florine richtte zich half op. 'Wat doe je?' fluisterde ze hees en slaperig.

'Mijn mobiel! Ik kan hem nergens vinden! Hij ligt vast nog in dat cafeetje waar we vanmiddag waren!' Julia's stem schoot bibberig uit.

'O.' Florine wreef in haar ogen. 'Dan gebruik je die van mij toch? Moet je nu iemand bellen dan? Hoe laat is het eigenlijk?'

'Nee, ik hoef nu niet te bellen, daar gaat het ook niet om, maar ik ben mijn mobiel gewoon kwijt!' Ze slikte en knipperde met haar ogen. 'Dat is vreselijk balen! Ik heb dat mobieltje pas gekregen, voor Sinterklaas! Ik had er zo lang om gezeurd... en nu al kwijt... Mam doet me wat!' Julia ging steeds harder praten en Florine gebaarde dat ze stiller moest zijn.

'Ssst! Iedereen slaapt hier. Joh, we vragen het morgen gewoon aan Anna, dan belt zij naar dat cafeetje en dan krijg je je mobiel terug.'

Julia haalde diep adem. 'Zou je denken?'

'Ja, dat denk ik. Was het trouwens een prepaid of heb je een abonnement?'

'Wat maakt dat nou uit?' fluisterde Julia verdrietig. Ze was zo vreselijk blij geweest met haar mobiel toen ze hem op pakjesavond had uitgepakt.

'Mijn ouders zeggen altijd dat je een abonnement gelijk moet laten blokkeren als je mobiel kwijt is of gestolen, omdat iemand anders er dan op jouw kosten mee kan gaan bellen. Met een prepaid ben je alleen het bedrag van je prepaidkaartje kwijt.' Florine liet zich weer vallen en trok het dekbed over zich heen. Het was koud in de kamer.

'Prepaid.' Julia stopte alle spullen weer terug in haar tas.

'Dan is er niets aan de hand. Nou, ik ga weer slapen. Welterusten...' Florine geeuwde.

Julia kroop terug in bed en knipte het licht uit.

'Welterusten...' fluisterde ze in het donker en ze deed haar ogen dicht, maar het duurde zeker een half uur voordat ze weer sliep.

6

'Och jee! Ja, dan moeten we eerst even bellen! Maar ze zijn nu vast nog niet open,' zei Anna en ze zette haar koffie neer. Florine stond onder de douche en Lizzy sliep nog. 'Hopelijk heeft iemand hem gevonden en bij de kassa afgegeven. Maar als je wilt bellen, mag dat ook gewoon met onze telefoon, hoor!'

De warmte kringelde boven het kopje koffie.

Julia schudde haar hoofd. 'Dat hoeft nu niet. Ik wil gewoon graag mijn mobiel terug, hij is net nieuw...' Ze liet haar schouders zakken en ging aan de keukentafel zitten.

Anna's man zat ook aan de tafel. Hij las op zijn laptop de krant en zei iets tegen Anna. Julia had hem net voor het eerst ontmoet.

'Goed plan,' knikte Anna. 'Adnan zegt dat je misschien je eigen nummer moet bellen, dan neemt er vast iemand op en dan kun je vragen of die de telefoon heeft.' Adnan, zo had Julia begrepen, verstond wel wat Nederlands maar sprak het nauwelijks.

'You could try, you never know!' zei Adnan vriendelijk.

'Ja, dat is een goed plan!'

Anna wees naar de telefoon op het aanrecht. 'Eerst wel twee nullen en dan 31 voor Nederland en dan je 06-nummer, maar zonder de 0.'

Julia toetste de nummers in. De telefoon ging over. Gespannen drukte ze de hoorn tegen haar oor.

Er klikte iets. *'Dit is de voicemail van Juul. Je kunt inspreken na de piep! Doei!'*

Julia hing teleurgesteld op.

'And?' vroeg Adnan.

Julia schudde haar hoofd. 'Voicemail.'

Adnan stond op. *'Too bad,* Julia!' Hij zei nog iets tegen Anna en verdween toen uit de keuken.

'Hij gaat hardlopen in het park,' vertaalde Anna. 'Jammer van je mobiel. Ik hoop niet dat hij heel duur was?'

'Nee, dat geloof ik niet. Nou ja. Sparen voor een nieuwe dan maar...'

'Wil je anders gewoon je moeder even bellen? Stel dat zij jou steeds probeert te bellen en een vreemde aan de lijn krijgt?! Dan maakt ze zich vast zorgen.' Anna pakte de telefoon. 'Zeg maar wat jullie nummer is.'

Ze toetste het nummer van Julia's huis in en overhandigde toen het toestel aan Julia.

'Je mag wel even naar de woonkamer lopen, hoor, dat is rustiger.'

Na vijf minuten kwam Julia weer de keuken in. Mam was niet boos geweest, ze had inderdaad een paar keer ge-sms't en zich afgevraagd waarom Julia niets meer teruggestuurd had, maar ze was blij geweest dat het goed ging met haar. Die had wel even een steek van heimwee gevoeld bij haar moeders stem en het gelach van Nick en Vlinder op de achtergrond. Alleen toen mam had gezegd dat ze vanavond met Rob wat zou gaan eten, was dat gevoel weggeëbd.

'Bedankt dat ik mocht bellen.' Julia legde de telefoon weer op de tafel.

'Good morning!'

Julia draaide zich om. Achter haar stond een jongen met donkere ogen en krulletjeshaar. Hij glimlachte en keek naar Julia. *'You must be one of the Dutch girls!'*

Anna liep op hem af en zoende zijn wang. 'Dit is Oliver, onze zoon.' Ze wreef even met haar hand door zijn krullen. 'Oliver, dit is Julia. Ze spreekt niet erg veel Engels, dus kun jij mooi je Nederlands oefenen, net als Lizzy.'

'Great!' Oliver grijnsde en plofte naast Julia neer. Hij knipoogde naar haar. 'Mijn Dutch is niet zo gaaf...'

'Goed, je bedoelt goed.' Anna lachte en Julia bloosde.

Anna zette schalen met roerei, geroosterd brood en fruitsalade op tafel.

'Heeft je vannacht de... eh... *foxes...*' Hij keek Anna vragend aan.

'Vossen,' vulde Anna aan.

'Thanks. De vossen horen?' Hij keek Julia aan en schepte toen wat ei op zijn bord.

'Vossen horen?!' Ze begreep niet wat hij bedoelde en keek vragend naar Anna.

'O, de hondjes blaften vannacht. Dan zien ze vossen in de tuin.'

'Vossen?' Julia keek verbaasd. 'In jullie tuin?'

'O, ja hoor, dat hebben we in dit deel van de stad wel vaker. Er zwerven veel vossen in de parken hierachter, die gaan 's nachts op zoek naar eten, zeker met deze kou.'

Florine kwam de trap af, gevolgd door Lizzy. Tot Julia's verbazing was Lizzy gekleed in haar schooluniform.

Oliver stond op en stelde zich ook aan Florine voor.

Florine stamelde haar naam, duidelijk onder de indruk van de jongen tegenover haar.

'Moet jij naar school vandaag?' Julia wees naar Lizzy's kleding.

'Yes, we have a hockey match!' lachte Lizzy.

Hockey op school

In Engeland heb je minder vaak hockeyclubs zoals in Nederland. Kinderen leren de sport daar juist op school en zitten in schoolteams, die na schooltijd bij elkaar komen. Je gaat meestal niet, zoals in Nederland, pas 's avonds trainen maar blijft op school en krijgt training direct na de lestijd. De competitie bestaat dan ook vaak uit scholen die onderling spelen.

Anna schepte ei voor Lizzy op een bord. 'O ja, dat is natuurlijk heel anders dan bij jullie. Hier heeft bijna iedere school een eigen *hockey pitch,* een eh... speelveld. Je hockeyt hier na schooltijd gewoon bij je school, niet bij een club. En als je enorm goed bent, word je geselecteerd voor het schoolteam en dan heb je op zaterdag competitie tegen een andere school.'

'Huh? Dat is echt super anders! Maar waarom draag je dan je

schooluniform?' Julia was rechtop gaan zitten en keek geïntrigeerd naar Lizzy.

'Je gaat hier eerst naar je school. Als je thuis speelt, komt het andere team naar je toe in een busje. Als je uit moet, ga je in je uniform naar de andere school. Zo zien ze meteen van welke school je bent. Ik zei toch dat Britten dol waren op uniformen!' knipoogde Anna.

'En dan?'

'Dan kleed je je om. Je speelt een wedstrijd en daarna gaat het bezoekende team naar de kantine. Daar krijgen ze een tea aangeboden, een beetje wat jullie gisteren in dat cafeetje hadden, maar minder uitgebreid en klaargemaakt door de ouders. Het ontvangende team is daar niet bij, die gaan naar huis.'

'Wat ongezellig! Blijven die niet in het clubhuis?'

'Nee, want er is geen clubhuis, je zit gewoon in de schoolkantine.'

Julia nam een hap van de fruitsalade. 'En Swiss Cottage dan? Dat is toch wel een club?'

'Ja.' Anna knikte. 'Maar ook dat is weer heel anders dan in Nederland, hoor. Er spelen maar heel weinig mensen hockey in clubverband, juist omdat kinderen het dus op school spelen en op zaterdag dan al competitie hebben. Dus als er al clubs zijn – en die zijn er dus niet veel – dan hebben die maar weinig jeugdteams. En in de teams die er zijn, zitten kinderen van alle leeftijden door elkaar. Dus als je negen of zo bent, speel je misschien wel met twaalf- en dertienjarigen mee. En er zitten zelfs tieners in volwassen teams. Zo werkt het hier nu eenmaal.'

Florine trok haar neus op.

'Nou, niet erg gezellig dan...'

'Maar wel ideaal dat het op school is!' zei Julia. 'Dan kan iedereen op hockey!'

Florine schudde resoluut haar hoofd. 'Lijkt me niks. Stel je voor dat we dat bij ons op school zouden hebben!'

'Dat zou toch geweldig zijn! Dan kon je iedere dag na school oefenen op een echt veld! En je zou niet pas 's avonds naar training hoeven...'

'Dat laatste zou wel fijn zijn,' knikte Florine, 'maar als er velden bij school waren, zouden mijn ouders van me verwachten dat ik iedere dag speelde. Nee, dank je!'

'Wanneer moet je spelen?' vroeg Julia aan Lizzy.

Anna vertaalde het.

'O, middag.' Lizzy veegde wat jam van haar kin. *Three*, eh... drie oor!'

'Haha, je bedoelt uur, schat. Het is een heel leuke wedstrijd hè, Liz? Het is hun jubileumwedstrijd! Er komt ook allemaal pers en zo kijken. Het zou fijn zijn als jullie winnen vandaag!' Ze knuffelde Lizzy even.

Na het ontbijt stond Anna op. 'Ik zal even naar dat cafeetje bellen, ik denk dat ze nu wel open zijn voor het ontbijt. Misschien dat je mobiel daar nog ligt. En over een half uur vertrekken we; dan halen we de rest weer op en gaan we toeren door Londen!' Ze liep met de telefoon in haar hand weg.

Helaas was de mobiel ook niet in het cafeetje gevonden. Julia zuchtte en zei tegen Florine dat ze het wel kon vergeten.

'Maar ze zeiden wel dat er gisteren een medewerkster was die er vandaag niet is. Die komt maandag pas weer. Misschien dat zij hem nog ergens heeft weggelegd, dus ik heb afgesproken dat ik ze maandag weer bel, oké Julia?'

Julia knikte. Er zat niets anders op.

'Bel je toch met die van mij,' zei Florine en ze boog naar Julia toe. 'Trouwens, wat een leuke jongen, die Oliver!'

'Wat heb jij nou op je handen, Julia?' Carla wees op de binnenkant van Julia's handen.

Alle meiden keken.

'Wow, dat is mooi!' Pleun pakte Julia's ene hand vast. 'Heb je dat zelf met stift getekend of zo?'

'Nee, dat is henna. Dat heeft Seema gedaan, een nichtje van Anna.'

'Gaat het er onder de kraan niet af?' Pip keek geïntrigeerd naar de getekende bloemen en blaadjes op Julia's handpalm.

'Nee, dit blijft een paar dagen zitten. Gaaf hè?' Julia hield haar palmen omhoog.

'Ja! Dat wil ik ook!' zei Emma. 'Kan dat nichtje dat ook bij ons doen?'

Anna had alles gehoord en lachte. 'Als ze vanavond ook naar het feestje komt, wil ze dat misschien wel doen. Ik zal vragen of ze haar henna meeneemt. Nou, meiden, de eerste stop. Buckingham Palace! Met een beetje geluk vang je een glimp op van de koningin in badjas, haha!'

De ochtend vloog voorbij. Ze stonden een half uur in de kou voor het wisselen van de wacht bij het koninklijk paleis, ze wandelden door China Town, waar ze het idee hadden in China te zijn beland. Ze reden over de Tower Bridge en langs Piccadilly Circus, wat helemaal geen circus bleek te zijn maar gewoon een groot plein.

Uiteindelijk stopte de bus op Oxford Street, de grootste winkelstraat van Londen. Het was er enorm druk, de trottoirs waren overvol met mensen die hun kerstinkopen aan het doen waren.

'Het is nu...' Anna keek op haar horloge, 'één uur. We spreken af dat jullie hier om zeven uur weer staan. Dan haal ik jullie op en rijden we door naar het clubhuis van Swiss Cottage, voor een gezellige avond. Dan wens ik jullie heel veel winkelplezier!' Ze knipoogde even naar Florine en Julia en iedereen stapte uit.

Anna stond naast het busje en wilde net instappen toen haar mobiel ging. Ze nam op en luisterde met een frons tussen haar wenkbrauwen, die almaar groter werd, zag Julia. Ze begon steeds harder te praten, en had een zorgelijke uitdrukking op haar gezicht. Uiteindelijk hing ze op.

Simon en Carla keken haar vragend aan.

'Niets ernstigs, hopen we?'

'Nou, eigenlijk wel. Het team van de tegenstander van mijn dochter komt niet opdagen vanmiddag. Er heerst blijkbaar griep en ze hebben te veel zieken. Hè, jammer... De krant zou komen, omdat het de honderdste wedstrijd van Lizzy's school zou zijn en een hele hoop ouders en leerlingen zouden komen kijken, dat gebeurt ook niet vaak. Normaal is het natuurlijk minder erg om een wedstrijd af te gelasten, maar nu is het wel heel erg jammer, zeg!' Ze zuchtte. 'Nou ja, niets aan te doen. Ik ga maar weer snel, zorgen dat iedereen afgebeld wordt en zo.'

Simon keek haar begrijpend aan. 'Ja, dat hebben wij ook wel eens. Naar is dat. En kun je geen ander team van de club vragen? Wij hockeyen ook wel eens tegen een ander team van onze club, de M8D1 of zo.'

Schoolhockey en clubhockey

Als je in Engeland toch bij een club gaat hockeyen, kom je vaak in teams terecht waarin allerlei leeftijden door elkaar lopen. Dat komt omdat er nog maar weinig kinderen zijn die naast schoolhockey, ook nog bij een club kunnen/willen gaan. Schooldagen duren in Engeland al best lang, doordat er na de lessen allerlei buitenschoolse activiteiten zijn zoals hockey, tennis, muziek en toneel.

'Zo werkt het hier niet,' Anna zuchtte. 'Hier werken we met teams van school, niet van een club. Dat zijn al vaak de beste spelers en in alle eerlijkheid heeft de school van Lizzy niet al te veel goede hockeyspelers.'

'Vervelend, ja!' Simon keek op zijn horloge.

'Maar het is jullie probleem niet, jullie zijn nu in Londen en moeten lekker gaan winkelen en zo!' Anna keek hen aan en rechtte haar rug. 'Dus om zeven uur hier op deze kruising. Nou ja, op de stoep dan, haha!'

Ze trok het portier van het busje weer open en wilde instappen.

'Wacht!' Julia maakte zich los van de groep. 'Ik wil wel meedoen. Met die wedstrijd!'

'Julia, wat bedoel je?' Simon keek haar vragend aan.

Julia draaide zich om naar de groep. 'Wij zouden tegen Lizzy's team kunnen spelen! Wij zijn met voldoende meiden en het zou supergaaf zijn om in Londen te kunnen spelen! Wanneer krijg je die kans nou?!'

'Nee, ben je gek!' riep Anna geschrokken. 'Dat hoeft echt niet! Ik bedoel, het zou geweldig zijn en ook heel bijzonder, maar dit is jullie trip naar Londen, en het is niet jullie probleem...'

'Mij lijkt het ook leuk!' zei Daisy.

'En mij!' riep Emma.

'Maar...we hebben helemaal geen outfits!' riep Simon. 'Julia, heb je daar ook een oplossing voor?'

'Nou, outfits zouden nog wel het kleinste probleem vormen...' Anna beet op haar onderlip en dacht na. 'Die zouden we nog wel op school hebben en met gekleurde hesjes erbij... Er zijn ook zeker voldoende sticks en schoenen in het magazijn, maar jullie zouden toch gaan shoppen...?'

'Precies!' Florine zette demonstratief een stap naar achteren. 'Harrods wacht op ons, meiden! En ik wil echt nog een nieuwe trui kopen!'

Simon keek naar Carla, die haar schouders ophaalde.

'Mij maakt het niet zo veel uit,' zei ze. 'Alleen moet iedereen het willen. Want je hebt acht spelers nu, geen reserves.'

'Kom op, Sterren!' riep Julia. 'Er is zelfs pers bij. En het is toch super om aan de honderdste wedstrijd mee te doen? Shoppen kan altijd nog wel een keer. Anna, zou dat anders morgen kunnen?'

'De winkels zijn wel open op zondag...'

Simon keek de groep aan.

'Nou, dan moeten we maar stemmen. Wie heeft er zin om vanmiddag te gaan hockeyen?'

Iedereen behalve Florine stak een vinger op.

'We zouden gaan shoppen...' pruilde ze.

'Ja, als niet iedereen wil, dan gaat het niet door.' Simon keek naar Julia. 'Hoe lief het ook van je is om het voor te stellen.'

Julia keek Florine boos aan. 'Je bent de enige die niet wil! Kom op, Flo! Morgen gaan we winkelen, oké?!'

Florine zuchtte en stak langzaam haar vinger op. 'Liever niet, maar ik wil niet de spelbreker zijn. Dan maar hockeyen.'

'Yeah!' Julia omhelsde haar vriendin. 'Top! Hockeyteam de Sterren gaat haar internationale debuut maken!'

7

Florine keek nog even beteuterd naar Julia, maar iedereen stapte toch weer in het busje.

Anna glunderde. 'Ik vind dit wel erg bijzonder, hoor! Ontzettend lief van jullie. Ik ga nu eerst even Lizzy en haar coach bellen, om te zeggen dat het gewoon door kan gaan.'

Ze pleegde snel de twee telefoontjes, terwijl Julia Florine aanstootte. 'Hé, misschien is die Oliver er wel, als toeschouwer…' Ze knipoogde.

Florine werd rood maar moest wel lachen. 'Oké, dan maak je het weer goed! Maar wat er ook gebeurt, morgen móéten we winkelen, beloofd?'

Anna hing op en draaide zich om naar de meiden.

'Nou, daar was de coach heel erg blij mee! Zij zal zorgen dat er straks voldoende sportkleding voor jullie ligt en ook sticks en bescherming. En we hebben altijd een voorraad nieuwe bitjes. Die mag je dan gelijk houden.'

Ze startte de motor en voegde weer in in het verkeer. Ze stuurde de auto door de drukke straten.

'De Sterren in Londen!' zei Pip. 'En nu maar hopen dat de spelregels niet anders zijn dan in Nederland!'

Na een half uurtje rijden stopten ze bij een groot, oud gebouw. *St. Michael's School for Girls* stond er op een bordje.

'En de eh... boys dan?' Daisy wees naar het bord en keek vragend naar Anna en Lizzy, die ze net opgehaald hadden. Lizzy's vader en broer zouden later komen.

'No boys,' schudde Lizzy haar hoofd, *'it's a girls' school!'*

'Geen jongens?!' Pip verslikte zich bijna. 'Echt helemaal geen jongens?'

'Nee,' lachte Anna. 'In Engeland gaan veel kinderen naar zo'n soort school, dat systeem is al heel oud. Tja, het is wel echt anders dan in Nederland, bedenk ik nu weer. Ik ben er inmiddels aan gewend, maar ik kan me voorstellen dat het voor jullie allemaal heel vreemd moet lijken. Oliver gaat naar een andere school, een school alleen voor jongens. En Lizzy dus naar een meisjesschool.'

'Dat lijkt me heel saai!' flapte Emma er uit. Natuurlijk, jongens konden soms enorm vervelend zijn, maar zonder jongens naar school?!

'Ja! Op wie moet je dan verliefd worden?!' riep Pleun uit. 'Dat zou ik echt supersaai vinden!'

'Misschien. Het kan ook lekker rustig zijn natuurlijk. Enne, die jongens ontmoeten ze toch wel, hoor! Vaak zijn er feesten die door een meisjesschool en een jongensschool samen georganiseerd worden en die zijn altijd erg leuk, toch, Lizzy?'

Lizzy lachte. *'Yes! Very nice!* In het lente we eh... heeft weer een feest! Met boys...'

Anna parkeerde de auto. 'En nu, girls, op naar de hockeywedstrijd!'

Het was koud buiten en het veld was niet bespeelbaar, maar St. Michaels had gelukkig een prachtige zaal waar ze zouden spelen. Omdat De Sterren nog nooit zaalhockey hadden gespeeld, werd besloten dat ze zouden spelen volgens de veldregels. Ze waren wel naar het hockeyveld gaan kijken. Simon had zich

Zaalhockey
Omdat het in de winter erg koud kan zijn en de velden dan onbespeelbaar zijn, wordt er ook wel gespeeld in zalen. Zaalhockey is echter niet helemaal hetzelfde als veldhockey. Je mag in de zaal niet slaan en de lange corner bestaat niet. Je staat met maximaal 6 spelers in het veld en de rest is wisselspeler. Het veld is kleiner dan bij een buitenveld. Er zijn geen zijlijnen bij zaalhockey. In plaats daarvan liggen er balken die gebruikt kunnen worden om de bal naar voren te spelen. Een bal is uit als hij over de balk heen gespeeld wordt of over de achterlijn gaat.

erover verbaasd zo'n mooi veld achter de school te zien en ook de meiden waren onder de indruk. Ze hadden zich omgekleed bij de gymzalen en stonden nu allemaal in de sportkleding van St. Michael's aan de zijkant van de zaal.

Omdat ze bezoekers waren, droegen ze felrode hesjes over de paarse sportkleding, zodat ze goed te onderscheiden waren van Lizzy's team.

Carla had een paar groepsfoto's gemaakt. 'Leuk voor op de site van Sterrenhout! *Say cheese!*'

'Simon, wat als we er niets van verstaan? Als bijvoorbeeld de scheidsrechter iets zegt en wij het niet begrijpen?' had Jasmijn gevraagd.

'Dat is niet erg. Ik vertaal het eventueel wel en ik denk dat de regels allemaal hetzelfde zijn, dus ook de overtredingsregels. Gewoon goed spelen, meiden, straks.'

Eenmaal in de zaal hadden ze zich niet alleen verbaasd over hoe mooi deze was, maar ook over het vele publiek dat op de tribune zat. Er waren zeker tweehonderd toeschouwers – leerlingen van de school, ouders en leerkrachten. En aan de kant stond een fotograaf om foto's voor de krant te maken. Ook de schoolfotograaf was er, legde Anna uit.

Ze stelde Simon voor aan de schoolcoach van Lizzy's team, een Chinees uitziende vrouw die hen allemaal de hand schudde.

'Ze zegt dat ze erg blij is dat wij de wedstrijd mee wilden spelen,' vertaalde Simon, 'en dat ze dit zien als een vriendschappelijke wedstrijd en het een eer vinden dat ze die tegen ons mogen spelen. Ze zegt ook dat het niet erg is dat jullie geen Engels spreken, of maar een klein beetje, want op het veld geldt niet het Engels, maar een heel andere taal.'

Geen Engels?! Wat spraken ze dan, Chinees?! Julia keek vertwijfeld naar het achttal. Er zaten meisjes in van allerlei nationaliteiten, leek het wel.

'Welke taal dan?'

'Die van de sport!' lachte Simon. 'Dat is een universele taal en het maakt niet uit of je nu in Finland, Oezbekistan of Japan zou spelen – iedereen verstaat de taal van sport!'

Beikou
Over de hele wereld wordt hockey gespeeld. Sporten vinden vaak hun oorsprong in een andere, oudere sport. In China en Mongolië werd al heel lang een soortgelijke sport gespeeld. Ze speelden daar al 1000 jaar beikou. Bij dit spel sloegen mannen met een stuk hout op een bal die meestal van vezels gemaakt was. Als het avond was, gebruikten ze vilten ballen die ze eerst aanstaken. Zo speelden ze dus met een soort vuurbal.

Het eerste kwartier verliep moeizaam. Florine had het koud en rende veel op en neer om maar warm te worden. Verdorie, ze had nu ook lekker met een grote beker warme thee en heerlijke taartjes bij Harrods kunnen zitten. In plaats daarvan rende ze hier in een iets te krap hockeyrokje door de zaal met een stick van een ander in haar handen. Julia leek het allemaal geweldig te vinden. Vol vuur duwde zij de bal vooruit en ze ging steeds recht op het doel van St. Michael's af, maar het was nog steeds 0-0.

Florine keek naar de tribune waar alle toeschouwers zaten. Hé, daar was Oliver. Hij zwaaide even naar haar en stak toen zijn duim omhoog. Ze was blij dat ze al een rood gezicht van de kou had, dan zag hij tenminste niet dat ze om hem moest blozen. Ze begon harder te rennen. Als ze nu eens indruk op hem kon maken...

'Pleun, hier!' riep ze hard en ze vroeg om de bal.

Pleun speelde haar de bal toe en Florine pushte hem over het veld. Een meisje van St. Michael's onderschepte haar pass en er werd gejuicht.

'Jammer dat wij geen publiek hebben! Nu juicht er niemand voor ons...' zei Florine beteuterd tegen Daisy, die naast haar liep.

Daisy haalde haar schouders op. 'Ach, zo is het toch ook leuk, lekker spelen. O, opletten, even mee met de verdediging, want anders scoren ze!'

Ze renden beiden mee met Pip en Emma, die steeds trachtten de bal van Lizzy af te pakken.

'Shoot, Liz!' zei een andere speelster nu hard.

Pip, Emma, Daisy en Florine stopten met meerennen.

'Shoot? Dat was toch helemaal geen shoot?'

Maar Lizzy was doorgerend met de bal en schoot hem loeihard voorbij Sanne, die keepte. Iedereen op de tribune sprong op en juichte. De meisjes van St. Michael's omhelsden Lizzy blij.

'Hè?! Dat telt toch niet? Simon!' Julia riep naar de zijlijn en met een paar meisjes liep ze naar hem toe.

'Ze maakte dat doelpunt nadat ze een overtreding had

gemaakt, dat telt niet!' zei Julia nu verontwaardigd. 'Iemand riep 'shoot'! Ja, logisch dat wij dan stoppen met spelen en verdedigen!'

'Ik denk dat ik het al begrijp...' Simon lachte schaapachtig. '*Shoot* betekent in het Engels ook zoiets als 'schieten'... Ik denk dat er sprake was van spraakverwarring. Het was geen overtreding, maar gewoon een aanmoediging om te scoren...'

'Nou ja! Dat is toch niet eerlijk!' riep Julia boos.

'Ach, wat is eerlijk...' Simon legde even een hand op haar schouder. 'Het is maar vriendschappelijk, Julia, en het was gewoon een misverstand. Het is pas 0-1 en we hebben nog een hele helft te gaan. Kom, jullie niveau is veel beter dan dat van deze meisjes, dus gewoon lekker doorspelen. Ook als iemand 'shoot' roept!'

Ze eindigden de eerste helft met 0-1. Anna kwam even zeggen dat ze onder de indruk van het spel van Hockeyteam de Sterren was. 'Dat merken jullie vast ook aan het publiek! Die worden steeds enthousiaster!'

'Goed, we gaan er weer voor, we moeten toch minstens één punt scoren, dames!' Simon klapte in zijn handen en stuurde hen weer het veld op.

Jasmijn kreeg de bal voor haar stick en duwde hem het veld over. 'Julia! Hier!'

Julia zag de bal op zich af komen en dook er met haar stick bovenop. Eindelijk! Ze duwde de bal voort en keek voor zich. Nog een meter of vijf, zes scheidde haar van de goal. De tegenspelers kwamen op haar afgerend.

'Get her! Stop her!'

'Claire, *watch your defense!*'

Nog twee meter. Julia bracht haar stick naar achteren, haalde uit en scoorde! Het publiek begon te juichen, alhoewel een paar leerlingen vanaf de tribune 'Boe!' riepen.

'Wow! That was amazing! Fantastic!' Lizzy lachte even naar Julia. 'Maar eh... wij wil winnaar!' Ze knipoogde naar Julia.

'Geweldig, Julia, goed gedaan!' riep Simon vanaf de zijlijn.

De wedstrijdleidster floot voor hervatting van het spel. Tien minuten later was de wedstrijd voorbij en was de eindstand 1-1.

Ze douchten na afloop op school. Ook dat was anders dan thuis. Op HC Sterrenhout waren wel douches, maar die werden zelden gebruikt. De meeste spelers douchten liever thuis dan in de oude en onverwarmde kleedkamers van de club. Hier, op St. Michael's, was het water heerlijk warm en de ruimtes netjes schoon. De teams deelden de kleed- en doucheruimte.

Julia vond het wel raar om zich uit te kleden waar iedereen bij was, maar de meesten leken nergens last van te hebben en gingen al kletsend met elkaar onder de waterstralen staan. Julia draaide vlug haar rug naar iedereen toe en waste zich snel, voordat ze haar kleding weer aantrok. Ze liep samen met Sanne en een Chinees uitziend meisje de kleedkamer uit, waar Anna, Carla en Simon hen op stonden te wachten.

'En dan nu lekker even naar de kantine. Het bezoekende team krijgt altijd iets lekkers en omdat het een jubileumwedstrijd is, het schoolteam deze keer ook.'

Het was inmiddels half zes en Julia's maag rammelde.

'Scoren in je internationale debuut! Goed hoor!' Anna lachte en duwde wat losse haarstrengen terug in haar knot. 'Super! En mooi gelijkspel, dat is wel de beste uitslag voor deze jubileum-wedstrijd.'

Internationaal debuut... Julia grijnsde en liep achter Anna aan naar de kantine.

8

Florine liet zich op het bed vallen. 'Poe, en dan straks ook nog naar een feestavond bij Swiss Cottage...' Ze geeuwde. 'Ik ben inmiddels best moe! Jij niet?'

Julia knikte en ging naast Florine liggen. 'Het is thuis natuurlijk ook al later, daar is het nu acht uur... We moeten over drie kwartier beneden staan, toch?'

Florine knikte.

'Wel waanzinnig leuke shirts, vind je niet?' Ze plukte aan het T-shirt dat ze aanhad. Omdat het een jubileumwedstrijd was, had St. Michael's voor beide teams als herinnering mooie T-shirts laten bedrukken.

Het was nog erg gezellig geweest in de kantine van de school. Toen ze binnen kwamen hadden de meiden van Sterrenhout met open mond rondgekeken in de kantine, die meer een enorme eetzaal was.

'Het lijkt wel de eetzaal uit een film!' had Sanne verbaasd geroepen. Er stonden allemaal lange houten tafels met houten banken, er lag een stenen vloer en in de ramen zat glas in lood.

'Dit is echt mooi! Wat leuk, dit hadden we anders nooit gezien!' had Jasmijn gezegd.

Lizzy en een paar van haar vriendinnen waren erbij komen staan.

'Is bij Nederland niet?' had Lizzy gevraagd en naar de eetzaal gewezen. 'Op school?'

De meiden hadden gegrinnikt. 'Nee, niet echt! Dat is heel anders. Wij eten thuis of nemen brood mee van huis.'

'Brood van huis?' Lizzy vertaalde het lachend voor haar vriendinnen. 'Hier wij eten spaghetti of lasagna. Chips… eh… aardappel met groenten en vis, of rijst met curry. Lekker!'

'Lasagne tussen de middag op school? Ik wil verhuizen!' lachte Emma.

Ze waren gaan zitten aan een van de lange tafels, samen met het team van Lizzy's school, en hadden sandwiches, chocoladetaart en cakejes met jam gekregen. Daarna waren de T-shirts uitgedeeld en toen was iedereen naar huis gegaan.

'Het leek me wel een hele gezellige school, maar ik vind bij hockey een clubhuis toch leuker…' zei Florine nu. 'Jij?'

Ze kreeg geen antwoord en draaide zich om naar Julia.

'Juul? Pffft!' proestte Florine en ze keek naar haar slapende vriendin. Ach ja, Julia had natuurlijk ook slecht geslapen vannacht, door dat gedoe met haar mobiel. En Julia kennende had ze de avond voor vertrek naar Londen ook niet al te best geslapen, vanwege de spanning en het vooruitzicht dat ze heimwee zou krijgen.

Julia snurkte licht en Florine trok een deken over haar heen. Ze zou haar over een halfuurtje wel wakker maken. Florine knipte een klein leeslampje aan en pakte een tijdschrift.

Het clubhuis van hockeyclub Swiss Cottage was uitbundig in kerststijl aangekleed. Overal hingen kerstversieringen en op de achtergrond klonk kerstmuziek.

Lizzy wees op takken met gedroogde blaadjes en witte besjes en knipoogde. '*You know...* jij weet dat is?'

Florine en Julia keken omhoog naar de takjes.

'Gewoon gedroogde takken,' zei Julia. Ze voelde zich helemaal uitgerust door het halve uurtje slaap dat ze had gehad.

'Niet gewone takken. Mistletoe. Eh... als je eh... *Mum? Mum!?*' Ze riep Anna en gebaarde dat die moest komen. Ze wees op de takken en zei iets tegen haar moeder.

'O, haha! Lizzy probeert uit te leggen wat mistletoe is. Kennen jullie dat niet?'

Julia en Florine schudden hun hoofd.

'Dat is een echte kersttraditie hier. Als je onder een tak mistletoe staat, kun je gezoend worden.'

Alsof ze door wespen gestoken waren, sprongen Florine en Julia meteen onder de takken vandaan.

Lizzy en haar moeder lachten hard. 'Haha! Maar dat is juist enorm leuk en spannend! Stel nu dat je een jongen leuk vindt, dan kun je hem zoenen als hij onder die takken staat, dat is toch geweldig!?'

Julia stootte Florine aan. 'Dus als Oliver hieronder staat...' plaagde ze.

Florine werd rood en keek Julia boos aan. 'Ssst! Straks horen ze je!' siste ze. Snel keek ze naar de hoek waar Oliver met wat vrienden stond. Hij lachte net om een grap en keek even haar kant uit. Snel draaide ze zich om.

Lizzy leek niets gehoord te hebben en liep weg toen ze een vriendin zag. Het was druk in het clubhuis en er stond een lange buffettafel vol eten. Iedereen had iets lekkers meegenomen, legde Anna uit. Zelf had ze Indiase hapjes gemaakt, maar er stonden ook hartige taarten, pannen vol chili con carne, aardappelsalades en aan de andere kant van de tafel stonden allemaal zoetigheden.

'Pfff, als ik hier in Engeland zou wonen, zou ik dichtgroeien!' zei Jasmijn. 'Echt, ik heb nog nooit zo veel cakejes en taartjes en zo bij elkaar gezien.'

'Maar zo eten ze vast niet iedere dag...' Sanne wees naar wat kinderen die verderop stonden. 'Die zijn niet dik of zo.'

'Nee, maar ze sporten hier bijna elke dag op school. Dat zei Joanne, onze gastouder, tegen ons,' legde Pip uit. 'Ik lust trouwens wel weer wat, hoor, dus zullen we aansluiten bij het buffet?'

Ze gingen met hun borden vol hapjes aan de tafel zitten waar ook Lizzy met wat vriendinnen zat.

'Hoe jij vindt Londen?'

'Super!' Julia knikte lachend. 'Al die gebouwen en dat lekkere eten. Vooral,' ze wees met haar hoofd naar de tafel vol nagerechten, 'jullie toetjes!'

'Als ik... eh...' Lizzy zocht naar woorden en haalde een hand door haar lange zwarte haren, 'eh... vakantie! Vakantie in Holland ga, dan kom ik bezoeken!'

Julia knikte. 'Ja, leuk! En we moeten ook e-mailadressen

uitwisselen, dan mail ik je.'

'Yes!'

Er stond een man op en hij tikte met een mes tegen zijn glas. In het Engels begon hij een heel verhaal. Af en toe ving Julia een woord op dat ze begreep. 'Sterrenhoet' bijvoorbeeld. De volwassenen lachten zo nu en dan om een grap, en ook Simon en Carla lachten mee.

Opeens hoorde ze haar eigen naam. De man zei iets en wees naar hun tafel. Iedereen draaide zich naar de meiden om en begon te klappen.

Met een vuurrood hoofd keken ze elkaar en daarna Lizzy aan. 'Waarom klappen ze?!'

'Omdat jullie... hockey speel *this* middag! In plaats van... toeristen zijn. En jij scoor punt!' Lizzy klapte blij mee.

Hockeyen en studeren in het buitenland

Al je echt erg veel talent hebt, kun je soms ook gescout worden om in het buitenland te gaan hockeyen. Zo kun je dan bijvoorbeeld een studiebeurs krijgen voor een Amerikaanse universiteit als je opgenomen wordt in hun hockeyteam. Er zijn organisaties die zich daar speciaal mee bezig houden om bijvoorbeeld hele goede basketbalspelers of hockeyers te scouten voor Amerikaanse universiteitsteams. Er zijn dan wel gewoon selectiedagen in Nederland.

Na de speech werden de tafels verschoven, de lichten gedempt en begon een dj plaatjes te draaien. De dansvloer werd steeds voller. Julia, Sanne, Florine, Jasmijn en Pleun dansten met Lizzy en haar vriendinnen Kate en Lesley. Het werd steeds warmer in het clubhuis. Florine had haar vest al uitgetrokken. Ze gebaarde naar Julia dat ze even naar de kant ging om te drinken.

'Maar dit is Rihanna! Ik blijf dansen, hoor!'

Florine baande zich een weg tussen alle mensen door en liep naar de tafel met kannen limonade. Ze pakte een beker en schonk hem vol.

'Ah, *good plan!*'

Ze schrok op en draaide zich om. Achter haar stond Oliver, die ook een beker pakte.

'Is eh... goed party!' zei hij lachend. 'Als jullie vaker in Londen komen, dan vaker dit soort feest!'

'Je spreekt best goed Nederlands...' zei Florine.

'Ja, thanks. Ook Hindi, een Indiase taal, papa en mama altijd drie talen gesproken met ons.'

Florine keek naar zijn donkere krullen en de kuiltjes in zijn wangen en beet op het randje van haar beker. Hij was echt erg leuk... Ze zocht naar iets om te zeggen zodat hij niet meteen weg zou lopen. 'Zit je ook op hockey?'

Oliver lachte. '*No!* Dat niet mijn sport. Ik doe tennis.'

'Ook leuk, tennis.'

Hij kreeg opeens een twinkeling in zijn ogen. 'You know... jij weten waar jij onder staan?'

Ze keek hem niet-begrijpend aan.

Opeens boog Oliver zich naar Florine toe en gaf haar een zoen op haar wang.

Met een knalrood gezicht keek ze hem aan. Het was gelukkig redelijk donker, niemand had het gezien, hoopte ze.

'Eh... wa...waarom... eh...?' stotterde ze.
Hij grijnsde en wees naar boven. 'Mistletoe!'

Die avond lagen ze fluisterend in bed. Florine raakte niet uitgepraat over Oliver.

'Gezoend?! Echt?' Julia keek naar Florine en grijnsde. 'Hoe was dat?'

'Gewoon. Fijn. Het was alleen een zoen op mijn wang natuurlijk, hè! Omdat ik onder de mistletoe stond!' Florine voelde haar hartslag versnellen bij de herinnering. Nadat hij een zoen op haar wang had gegeven, was ze snel teruggelopen naar de dansvloer en had ze de hele avond alleen nog maar stiekem naar hem durven kijken.

Julia lachte. 'Ik krijg een briljant idee! We nemen gewoon allebei een stukje mistletoe mee, zodat we die altijd bij ons hebben. En als we dan een jongen erg leuk vinden, halen we dat takje tevoorschijn en houden het boven zijn hoofd, en dan geven we hem een zoen!'

'Haha! Dan kun jij Philip een zoen geven!' Florine zuchtte. 'Hij is wel echt geweldig, hoor...'

'Wie? Philip?'

'Oliver natuurlijk! Ik vind hem echt wel erg leuk... Hij is zo knap. Die donkere krullen en die ogen... En hij heeft kuiltjes in zijn wangen, heb je dat gezien?'

Julia lachte. 'Leuker dan Daan? Op het CD-feest was je nog

onder de indruk van Daan!'

Florine trok een gezicht. 'Daan is ook leuk. Maar Oliver is wel echt heel knap... Denk je dat ik zijn MSN zou kunnen vragen? Of zijn e-mailadres?'

'Waarom niet? Je zegt gewoon dat je je Engels wilt oefenen.' Julia geeuwde. 'Poe, ik ben echt ontzettend moe nu. Ik heb niet eens energie voor heimwee, haha... Gisteren zo slecht geslapen en vandaag gesport... Ik ga slapen, oké? Welterusten...'

'Welterusten!'

De vlinders in Florines buik hielden haar nog lang wakker. Ze hoopte dat ze morgen naar de London Eye konden gaan. En dat Oliver dan meeging... Ze wilde eigenlijk ook nog even naar Oxford Circus, waar een kerstmarkt was, dat had ze gelezen in het boekje. En winkelen! Haar oogleden werden zwaar en uiteindelijk viel ook Florine in een diepe slaap.

9

Hun laatste dag in Londen alweer... Julia rekte zich uit en trok het dekbed nog iets verder over zich heen. Ze had er tot nu toe van genoten. Oké, haar mobiel was weg, maar verder had ze een geweldig weekend! Ze keek naar de binnenkant van haar hand. De henna zat er nog steeds prachtig op. Jammer dat Seema gisteren niet bij het feest was geweest, dan hadden de andere meisjes ook zo'n mooie versiering gekregen. Het was wel een superfeest geweest. Ze hadden lekker gedanst met iedereen, er waren nieuwe vriendschappen ontstaan, ze hadden Engelse kerstliedjes gezongen en om elf uur was iedereen naar huis gegaan.

Vandaag zouden ze nog wat door de stad rijden en misschien winkelen. Florine had het er gisteren steeds over gehad dat ze nog wel naar dat reuzenrad, de London Eye, wilde maar Julia had van Lizzy gehoord hoe duur dat was. 'En soms sta je een uur in de rij te wachten!' Dat vond Julia wel erg zonde van haar tijd.

Ze wilde ook nog graag een cadeautje kopen voor iedereen

thuis, die kon ze dan mooi onder de kerstboom leggen. Ze verheugde zich er al wel enorm op om vanavond weer thuis bij mam, Nick en Vlinder te zijn.

Florine sliep nog, zag ze. Mooi, dan kon zij eerst even onder de douche. Ze duwde het dekbed opzij en verdween neuriënd naar de badkamer.

Na het ontbijt zouden ze weer met het busje vertrekken om nog wat te gaan bezichtigen. Het regende hard en Anna had in overleg met Simon en Carla besloten dat ze niet naar Notting Hill zouden gaan, maar naar het British Museum. 'Daar liggen echte mummies, je ziet er opgezette dieren uit de prehistorie, het is echt een geweldig museum! En ideaal om heen te gaan met dit koude, natte weer! We lunchen daar dan later in de middag en gaan door naar St. Pancras Station, waar jullie trein om half zes zal vertrekken. Florine en Julia, jullie moeten ook je tassen alvast meenemen, zodat we niet meer hiernaartoe terug hoeven. Ik zal de anderen ook bellen dat ze hun bagage al bij zich moeten hebben.'

Florine pakte mokkend haar tas in. 'Museum? Daar heb ik echt geen zin in, jij wel? We zouden gaan shoppen! Ik wil naar dat reuzenrad. En nu zie ik Oliver ook niet meer... Ik dacht dat we vanmiddag misschien nog even hier zouden zijn en dat ik hem dan om zijn e-mail zou kunnen vragen...'

Julia ritste haar weekendtas dicht. 'Tja, ik ga liever ook niet naar een museum... maar het giet echt heel hard, ik heb ook geen zin om door die plensregen te gaan lopen op zoek naar cadeautjes, hoor. Ik heb trouwens al wel Lizzy's e-mailadres, dus je kunt Oliver vast via haar bereiken...'

Florine rimpelde haar neus. 'Misschien is hij straks al op en dan kan ik het vragen...'

Maar Oliver was niet op toen Florine, Julia en Anna een kwartier later weggingen. Ze werden uitgezwaaid door Lizzy en Adnan.

'Bye! See you in Holland!' zei Lizzy tegen Julia toen ze haar omhelsde.

Ze bedankten Adnan uitvoerig voor zijn gastvrijheid, maar hij wuifde hun bedankjes weg. *'It was very* eh... gezellig... *having you here!'* zei hij lachend.

In de auto keek Florine naar Anna en ze schraapte haar keel. 'Jammer dat we geen afscheid van Seema konden nemen en van Oliver...'

Anna grinnikte. 'Ollie slaapt op zondagen altijd enorm lang uit, als het even kan. Het kan zomaar twaalf uur worden... En Seema bleef slapen bij haar vriendinnen. Maar ik zal hen beiden de groeten van jullie doen, hoor!'

Het duurde even voor iedereen opgehaald was omdat alle meisjes afscheid namen van hun gastgezinnen. Er werden telefoonnummers uitgewisseld en nog op het laatste moment foto's gemaakt, maar uiteindelijk was Hockeyteam de Sterren dan toch echt helemaal compleet. Ze kletsten door elkaar heen over hoe leuk het was geweest.

Florine draaide zich om naar Simon, die achter haar zat. 'Moeten we echt naar een museum? Dat lijkt me saai...' Ze zei het zacht, zodat Anna, die druk in gesprek was met Pip en Pleun, het niet zou horen.

Simon fronste zijn wenkbrauwen. 'Natuurlijk moet je mee! Bovendien, je ziet toch wat voor weer het buiten is!'

'Ja, maar ik hou niet van musea en we hebben gisteren niet gewinkeld en toen zeiden jullie nog dat we dan vandaag zouden mogen winkelen en ik wilde ook nog graag naar het reuzenrad...'

Simons frons werd dieper. 'We gaan met dit weer niet winkelen, Florine. In zo'n museum steek je tenminste nog wat op, in de winkels niet. En wat dat reuzenrad betreft – met dit weer zie je toch weinig, het is hartstikke grijs en bewolkt.'

'Ja, maar we zouden ook nog een cadeautje voor Sofia meenemen en ik wil nog een...'

'Verdorie, hou nou eens op met zeuren!' Simon verhief zijn stem waardoor Emma, Jasmijn en Julia zich nieuwsgierig naar Florine en hem toe draaiden.

Florine voelde dat ze rood werd. Ze slikte de brok weg die zich in haar keel vormde.

'We gaan naar het British Museum. Jullie kunnen daar in de museumwinkel vast ook nog wat vinden en anders gewoon in de winkels van het station, ook voor Sofia. Einde discussie.'

Florine knipperde met haar ogen en keek uit het raam.

'Wat was er?' fluisterde Julia.

Florine schudde haar hoofd en bleef strak naar buiten kijken. 'Laat maar.'

Het verkeer werd drukker en drukker. Het busje kroop heel

langzaam vooruit totdat ze muurvast stonden in een rijendikke file.

'Wat is dat nou?' Anna probeerde te zien wat er gebeurd was. 'Hier is op dit tijdstip nooit file.'

Na een paar minuten, waarin ze alleen maar stil hadden gestaan, liet Anna het raam zakken en gebaarde naar de man in de auto naast haar dat hij hetzelfde moest doen. Ze sprak even met hem en deed toen haar raam weer dicht.

'O jee... we staan hier nog wel een poosje, ben ik bang. De weg is afgesloten in verband met een ongeluk en we kunnen niet voor- of achteruit.' Ze keek vertwijfeld om zich heen en gebaarde opeens naar de stoep. 'Wacht, natuurlijk! Simon, zie je daar dat bord *Underground?* Dat is de metro. Je pakt daar de zwarte lijn, stapt bij station Leicester Square uit en dan pak je de blauwe lijn naar Holborn. Als je daar uitstapt, ben je zo bij het museum.'

'En jij dan?' vroeg Simon.

Anna keek op haar horloge. 'Laten we zeggen dat ik jullie dan om twee uur in het restaurant daar ontmoet. Tegen die tijd zal ik echt wel uit deze file zijn.'

'En onze bagage?' vroeg Pleun.

'Die laat je lekker liggen natuurlijk. Ik ben er echt op tijd. Stap voorzichtig uit met z'n allen en loop meteen naar de stoep. Ik zie jullie later. Veel plezier!'

Simon en Carla stapten als eersten uit en daarna de rest. Ze zigzagden tussen de stilstaande auto's door tot ze op de stoep stonden.

Het begon steeds harder te regenen en Simon gebaarde dat ze snel onder een afdak moesten gaan staan.

'Ik moet plassen,' zei Emma. 'Echt heel erg! En die regen helpt ook niet...'

'Ja, wacht even, Emma. We moeten dus een stuk met de metro. Het lijkt me verstandig als we jullie in twee groepjes opsplitsen, zodat zowel Carla als ikzelf een groepje van vier meiden heeft, dat is overzichtelijk. Dan hoef je niet steeds op elkaar te letten en zo. Zorg dat je in ieder geval bij je eigen groepje blijft. Julia, Florine, Pleun en Pip, jullie horen bij Carla. De rest bij mij. Dan gaan we zo het station in, op zoek naar de loketten. Maar eerst gaan wij met Emma een wc zoeken. Daar aan de overkant is een McDonald's, die hebben vast een wc. Carla, gaan jullie maar vast met de metro. We zien jullie straks, op station Holborn!'

Het was enorm druk in het metrostation. Mensen renden naar poortjes om hun metro te halen, het was lawaaierig, er stonden straatartiesten te zingen en het rook er naar verbrand rubber.

'Wow... wat een mensenmassa...' Carla haalde diep adem. 'Goed, ik zoek uit welke lijn, welk perron en waar we kaartjes kunnen kopen, jullie blijven hier staan. Hier, begrepen?!' Om haar woorden te benadrukken wees ze naar de grond.

'Ja. Hier. Begrepen.' Pleun sprong in de houding alsof ze salueerde.

Na tien minuten was Carla terug, met een verhit hoofd. Haar

lange bruine haren zaten niet langer netjes in de klem en haar jas hing open.

'Nou, daar krijg je het warm van! Maar ik ben er in ieder geval uit. We moeten naar dat perron, richting Leicester Square, en dan overstappen.' Ze wees op een metroplattegrond. 'We moeten er wat voor overhebben, maar het is natuurlijk wel leuk om ook eens in de metro te zitten.'

Ze stopte de plattegrond weg. 'Pip, Pleun, jullie zijn metromaatjes. Dat betekent dat je elkaars hand vasthoudt op het perron, want daar is het erg druk, en ook als je instapt en uitstapt. Zo raken we elkaar niet kwijt. Florine en Julia, jullie zijn ook metromaatjes. Nou, we gaan! Volg mij maar!'

'Pfff, metromaatjes... overdreven zeg! We zijn toch geen kleuters meer!' fluisterde Florine, maar ze pakte Julia's hand en samen begaven ze zich achter Carla, Pip en Pleun aan naar het perron. De metro kwam na een minuut en ze moesten snel instappen. Het was zo druk dat er geen zitplaatsen waren en ze stonden als sardientjes in een blikje tegen elkaar aan. Na vier stops moesten ze eruit. Snel duwden ze zich een weg door de mensen en stapten nog net op tijd uit. De metro reed meteen verder.

'Pfieuw! Dat gaat allemaal snel! En wat een drukte!' Carla wiste het zweet van haar voorhoofd. 'Op naar de volgende lijn, die komt op een ander perron, dus we moeten eerst een stuk lopen door het station.'

Snel liepen ze achter elkaar naar de lange roltrap, die hen weer naar boven bracht. Daarna gingen ze een andere voetgangerstunnel in, ook deze weer vol met mensen. Florine en Julia werden aan alle kanten geduwd door mensen die haast hadden. Er waren een heleboel toeristen en moeders met kleine kinderen.

Opeens viel Florines tas door het geduw. Ze werd zelf naar voren meegetrokken door de mensen. 'Stop!' gilde ze tegen Julia. 'Mijn tas!' Ze rukte zich los van haar vriendin en baande zich een weg terug naar waar haar tas was gevallen. Ze werd steeds opzij geduwd door mensen die haast hadden.

'Hey kid, get out of the way!' zei een man en hij gaf haar een por.

'Watch it!' snauwde een vrouw op naaldhakken, die zich meteen verder haastte.

Julia probeerde ondertussen Carla, Pip en Pleun te roepen, maar het lawaai van een binnenrijdende metro overstemde haar. Ze zag alleen hun ruggen nog even terwijl ze in de mensenmassa verdwenen.

'Schiet op!' riep Julia en ze probeerde bij Florine te komen.

'Ja, wacht even, er is van alles uit mijn tas gevallen!' Florine probeerde haar spullen bij elkaar te graaien en stopte ze weer terug in de tas. 'Oké!' Ze richtte zich op. 'Kom op, gauw.'

Ze liepen gehaast samen de kant op waar ze Carla, Pip en Pleun net nog hadden gezien. Opeens splitste de tunnel zich in twee verschillende doorgangen, die naar de perrons leidden. Een perron links en een perron rechts.

Op beide perrons stond een metro klaar en iedereen rende hen voorbij in een poging om een van beide treinen nog te halen.

Ze keken van links naar rechts. Er klonk een waarschuwingssignaal dat de deuren dicht zouden gaan.

'Waar zijn Carla en de rest?' gilde Florine paniekerig.

'Ik weet het niet! Ik zie ze niet!' Julia keek van de ene metro naar de andere, maar ze zagen alleen de ruggen van mensen die nog net instapten, voordat de deuren sloten en de beide metro's vertrokken.

Hand in hand stonden ze stil naar de vrijwel lege perrons te kijken.

'Shit...' fluisterde Julia. 'We zijn ze kwijt...'

10

Er welden tranen op in Florines ogen. 'Waarom riep je ze dan niet?' vroeg ze met een overslaande stem aan Julia.

'Dat deed ik! Maar ze hoorden me niet! Jij moest zo nodig je tas laten vallen!'

'Dat deed ik toch niet expres!' Het huilen stond Florine nu echt nader dan het lachen. 'Wat nu? Wat moeten we nu?'

Julia dacht na. Ze beet op haar lip en keek van het ene perron naar het andere. 'Ik denk dat ze wel meteen zullen merken dat wij er niet meer zijn. Dan stappen ze uit op het eerstvolgende station en wachten denk ik tot wij met de eerstvolgende metro ook daarheen komen.'

Florine knikte bedachtzaam. 'Ja, dat klinkt logisch. Maar welke metro dan? De linker of de rechter?!'

Julia keek naar de namen op de plattegrond. 'Dat weet ik niet, ik ben vergeten waar we heen zouden gaan.'

'Een of ander museum.' Op dat moment kwam juist de metro links aanrijden. Er liepen weer allerlei mensen gehaast langs hen heen.

'Oké, we nemen die. Vijftig procent kans dat we goed gokken.' Julia en Florine pakten elkaars hand en gingen voor de instapstreep staan. De metro stopte, er kwamen eerst wat mensen naar buiten en daarna stapten de vriendinnen in.

'Dus nu moeten we er bij het eerstvolgende station uit.' Julia kneep in Florines hand. Ze probeerde rustig te blijven maar haar hart was op hol geslagen, leek het wel.

De metro schoot het donker in en kwam een paar minuten later weer met een schok tot stilstand. Florine en Julia duwden zich naar de uitgang van de metro en stapten uit. Er klonk een signaal en de metro reed verder. De meeste mensen op het perron liepen snel weg.

Ze keken allebei rond.

Carla, Pip en Pleun waren nergens te bekennen.

Florine hapte naar adem. 'Wat nu?! Juul, wat nu?!'

Julia slikte. 'We gaan naar boven. Misschien zijn ze naar boven gelopen. Heb jij je mobiel bij? Dan kunnen we iemand bellen!'

Florine veegde een traan van haar wang en pakte haar mobiel. 'Goed idee... O nee! De batterij is leeg!' Verschrikt keek ze naar Julia.

Julia pakte het toestel en schudde ermee.

'Verdorie! Stomme rotmobiel!' Ze keek Florine aan. 'Zullen we dan maar naar boven gaan? Misschien staan ze daar?' vroeg ze en ze beet een stuk nagel af.

'Misschien zijn ze teruggegaan...' Florine haalde haar neus op. Ze had het inmiddels ijskoud.

'Ja, dat zou ook kunnen...'

'Wat als ze niet merken dat wij weg zijn...?' Florine begon zacht te snikken.

'Natuurlijk wel! Carla merkt dat echt wel! Nou, weet je wat, dan gaan we eerst naar boven en als ze daar niet zijn, dan gaan we terug.'

'Misschien denkt ze wel dat wij Simon zijn tegengekomen en bij hem gebleven zijn...' snufte Florine.

Ze renden allebei naar de steile roltrap, die hen omhoog bracht. Boven in de hal leken honderden mensen te lopen. Maar van Carla, Pip en Pleun was opnieuw geen spoor.

Ontredderd keken ze rond. Er lagen twee zwervers voor hen op de grond, opgerold in hun slaapzakken.

'Ik ben bang...' fluisterde Florine. 'Straks vinden we niemand terug... en dan worden we zwervers in de Londense metro. Misschien zijn zij als kind ook wel verdwaald hier...' Ze knikte met haar hoofd in de richting van de zwervers.

Ondanks alles moest Julia lachen. 'Haha! Nee, doe niet zo raar! We gaan gewoon terug naar het station waar we vandaan kwamen. Misschien staan ze daar op ons te wachten.'

'Weet jij nog waar we vandaan kwamen? Al die stations hebben een eigen naam...' Florine liep naar de muur, waar een metroplattegrond hing. 'Was het nou die blauwe lijn? Of die bruine?'

'Of moeten we gewoon naar een museum gaan?' Julia trok met haar vinger de verschillende lijnen na. 'Of naar het huis van Anna. Weet jij het adres?'

Florine draaide zich om en liet zich met haar rug tegen de muur naar beneden glijden. 'Ik ben moe...'

'Nee... ik heb geen flauw idee in welke straat ze woont.' Julia haalde haar schouders op en liet zich ook zakken, tot ze samen tegen de muur zaten.

Een paar voorbijgangers keken nieuwsgierig naar de beide meisjes.

'Ik heb honger...' Julia keek in haar tas maar kon niets vinden, op een oud kauwgompje na. Zuchtend deed ze haar tas weer dicht.

'Ik heb nog wel geld...' Florine pakte haar portemonnee. 'Kom, dan gaan we bij de kiosk wat drinken kopen en wat te eten.'

Ze kozen een blikje 7Up en een chocolademuffin om te delen.

'Nou, wat doen we? Een museum zoeken of terug?! Hoe heette dat museum nou ook alweer?' Florine veegde wat kruimels van haar mouw.

Julia keek haar peinzend aan. 'Geen idee. Iets met mummies. En iets met oude dieren of zo.' Ze schraapte haar keel. Ze waren inmiddels al bijna een uur verdwaald. 'Flo? Als we... als we niet op tijd bij die trein zijn vanavond, die terug naar Nederland gaat...'

Florine sloeg verschrikt haar hand voor haar mond en hapte naar adem. 'O! Niet aan gedacht! Juul, dat zou afschuwelijk zijn!'

Stil bleven ze voor zich uit staren. Verderop in de hal stond een vrouw met een gitaar te zingen. Voorbijgangers gooiden zo nu en dan wat geld in haar gitaarkoffer.

Julia luisterde afwezig naar het liedje. Opeens ritste ze haar tas open. 'Wacht eens!' Ze rommelde in de tas en haalde haar woordenboekje eruit. 'Tadaaa! We kunnen iemand aanspreken en dan vragen naar het museum met oude dieren! Heb jij een pen? Dan zoeken we eerst alle woorden op en dan schrijf ik de zin uit en dan kunnen we het vragen!'

'Goed plan!' Florine zocht in haar tas naar een pen en overhandigde die aan Julia.

Na een paar minuten puzzelen hadden ze een zin opgeschreven.

'Het zal vast allemaal niet echt kloppen, maar laten we het proberen.' Julia stond op en keek om zich heen. Maar iedereen die voorbijliep had haast en negeerde de meisjes.

'We vragen het wel in dat winkeltje waar jij het drinken hebt gekocht.'

Samen liepen ze naar binnen. Achter de toonbank stond een oude vrouw. Ze keek de meisjes vragend aan. *'Can I help you, dear?'*

'Eh...' Julia schraapte haar keel en las op van haar briefje: *'We is going to the museum with old animals but where is it?'*

De vrouw keek hen even verbaasd aan. Ze was mollig en had grijze haren die in een lage staart gebonden waren.

'You're looking for a museum with old animals? Well, let me think for a minute...' Ze kreeg een denkrimpel en lachte opeens. Julia zag dat ze een tand miste.

'Ah! I think I know which museum you mean, love. You must mean the Natural History Museum. Lots of old animals there!'

'Wat zegt ze nou allemaal?' Florine keek Julia vragend aan. 'Ik versta er echt weinig van, hoor...'

'Ik denk,' zei Julia, 'dat ze weet waar we heen moeten. We vragen wel met welke metro, dan...' Ze bladerde door het woordenboek. 'En eh... *what underground take we?'* Ze draaide zich naar Florine. 'Ik heb net gevraagd welke metro we moeten nemen. Eigenlijk is Engels helemaal niet zo moeilijk.'

'Which line? Let me think... it's not difficult. You can take the

blue line, it's just four stations from here. Get out at South Kensington.'

Julia en Florine staarden de vrouw aan.

'En? Jij vindt Engels toch zo makkelijk? Wat zegt ze nou?'

Julia zuchtte. 'Ik weet het niet.'

De vrouw keek vriendelijk van de een naar de ander en pakte toen pen en papier. Ze schreef van alles op en overhandigde het papiertje aan Julia. Die pakte het aan en de vrouw keek verbaasd naar Julia's hennaversiering.

'That's beautiful!' zei ze bewonderend en ze wees naar Julia's hand.

'O. Eh... dank you.' Julia en Florine staarden naar het papiertje. 'Hé, dat is handig! Ze heeft opgeschreven welke lijn en welke halte. En hoe het museum heet!'

Florine keek naar de naam. 'Dat herken ik niet hoor, jij wel?'

Julia haalde haar schouders op. 'Heb jij een beter idee dan?'

'Nee...'

'Nou, dan gaan we gewoon naar dit museum. Vol oude dieren. En daar vinden we misschien Simon en Carla en de andere meiden wel!'

Ze knikten vriendelijk naar de vrouw, die nog wees naar welk perron ze moesten en aangaf dat ze er bij de vierde halte uit moesten.

'Have fun!' zei de vrouw nog en ze zwaaide toen ze wegliepen.

11

Florine en Julia keken omhoog naar het gebouw van het Natural History Museum.

'Het lijkt Rome wel...' fluisterde Julia onder de indruk, terwijl ze naar het oude, statige gebouw met de grote, gebeeldhouwde pilaren keek.

Er stond een lange rij mensen te wachten om naar binnen te gaan. Het was opgehouden met regenen, maar het was nog wel erg koud. Julia en Florine sloten achter in de rij aan.

Het was inmiddels half twee. Julia keek Florine aan. Over een paar uur moesten ze al verzamelen bij het station waar hun trein naar Nederland zou vertrekken... Wat nou als ze niemand zouden vinden? Als Carla en Simon niet naar het museum waren gegaan maar juist op allerlei metrostations aan het kijken waren?

Ze slikte. Daar kon ze beter niet aan denken en ze kon het ook beter niet tegen Florine zeggen. Die was nog zenuwachtiger dan zij. Ze hipte van haar ene voet op de andere.

Er klonken allerlei talen om hen heen. Jammer genoeg geen

Nederlands, dacht Julia en ze tuurde langs de rij om te zien of ze iemand van Sterrenhout zag.

Florine stootte haar opeens aan.

'We moeten natuurlijk entree betalen! Hoeveel geld heb jij bij je?'

'Geen idee.' Julia haalde haar schouders op. 'Maar ik heb nog wel genoeg, denk ik. Ik heb eigenlijk nog helemaal niets opgemaakt.'

Maar toen ze eenmaal aan de beurt waren, bleek dat de entree gratis was. Ze moesten alleen door een veiligheidspoortje en de inhoud van hun tassen laten controleren en werden toen door een norse man doorgelaten.

Ze kwamen in een enorme hal en keken elkaar aan. In de eerste hal stond een waanzinnig groot dinosaurusskelet.

Het was erg druk in het museum. Grote groepen mensen liepen door de hal, lezend in folders, kinderen renden opgewonden om het immense skelet heen. In een hoekje zaten studenten met potloden en tekenpapier het skelet te tekenen dat voor hen stond.

'Dit zijn inderdaad oude dieren...' mompelde Florine.

'Hele oude. Stokoud,' beaamde Julia.

'En nu? Gaan we door het museum lopen? Wachten we hier tot we bekenden zien? Als we heel lang wachten, dan worden we vanzelf ook skeletten...'

Julia grinnikte. 'En dan zetten ze naambordjes bij ons en kan iedereen langs ons lopen...'

'Niet grappig, Juul. Wat nou als... Stel dat we ze niet vinden? Over een paar uurtjes gaat de trein naar huis al weg!'

Julia slikte. 'Ja, dat weet ik ook wel...' Ze keken rond. 'Weet je wat? We doen snel een rondje door het museum, misschien zien we ze...'

'En anders?' Florine beet nerveus op een velletje van haar duim.

'Dat zien we dan wel weer.'

Razendsnel liepen ze langs opgezette beesten, potten vol ongeboren dieren, kasten vol opgeprikte vlinders. Maar nergens waren de andere meiden van Sterrenhout te vinden.

'Ik denk dat we in het verkeerde museum zitten...' piepte Florine nerveus. 'Juul, we moeten echt iets verzinnen! We moeten ze vinden!'

Julia kneep in Florines hand. 'Ja...' Ze had inmiddels dorst van al het rennen door het museum. 'Laten we weer naar buiten gaan. En dan... wacht, heb jij niet zo'n boekje over Londen? Je had toch dat gidsje?'

Florine knikte en diepte het op uit haar tas. 'Je bedoelt deze.'

'Ja, dan kijken we welke musea er allemaal zijn. Misschien zijn er meer musea met oude dieren en zo.'

'En mummies! Er zouden ook mummies moeten liggen, dat zei Simon. Dat herinner ik me opeens.'

'Een museum dus met oude dieren en mummies...' Julia bladerde samen met Florine door de gids en wees naar een plaatje.

'Hier! Een mummie! Wat staat eronder?'

'Het...' Florine ging met haar vinger langs de regels, '...het British Museum! Ja, dat was het! Daar moeten we heen!'

'Hoe komen we daar?'

'Met de metro?' Vertwijfeld keek Florine naar Julia. 'Maar stel dat we weer verdwalen...'

'Kijk eens op de kaart. Is het ver hiervandaan?'

'Zo te zien wel. Superver. Dan maar met de metro, we vragen wel met welke lijn.'

Ze liepen naar de uitgang van het museum. Buiten was een mager winterzonnetje doorgebroken. De natte straten glinsterden nog wat na.

'Eindelijk lekker shoppingweer, zijn we verdwaald...' verzuchtte Florine. 'Van welke kant kwamen we ook alweer?'

'Daarvandaan. Daarachter is de metro.'

Ze stapten snel door, tot ze de ingang van de metro weer zagen.

'Zullen we bij de kiosk daar even vragen welke lijn we moeten hebben?'

Ze liepen haastig op het huisje af, waar wel honderden soorten tijdschriften en kranten uitgestald lagen.

Florine vouwde haar boekje open en stootte Julia aan. 'Jij moet vertalen. Zeg maar dat we hierheen moeten.'

De man achter de kassa keek hen ongeduldig aan. Hij was net een tijdschrift aan het afrekenen voor een vrouw.

'We... moeten *go to* British Museum,' zei Julia en ze keek de man aan. Ze wees naar het plaatje van de mummie.

De man boog even voorover en bekeek het plaatje. *'Yes, all right. The British Museum. Too far to walk. Take the underground.'*

Julia probeerde het allemaal te begrijpen. 'Metro,' zei ze en ze wees naar het bordje van de underground.

'Yes, the metro. Take the blue line...' hij wees naar iets blauws, *'and get off at Holborn...'* Hij zocht een metrokaartje op in Florines boekje en tekende een cirkel om het station waar ze heen moesten.

'Goed, blauwe lijn daarheen. Thank you!' zei Julia en ze pakte Florines hand. 'Kom op, we hebben niet zo lang meer voor de trein naar Nederland vertrekt!'

Ze draaiden zich om en wilden weglopen toen Julia's oog op een krant viel die op een stapel lag. 'Flo! Die krant! Dat zijn wij! We staan op de voorpagina!'

12

Ze staarden naar de voorpagina van de Londense krant. Er stond een foto op van hun hockeywedstrijd gisteren en de fotograaf had juist een foto genomen toen Julia scoorde. Lizzy was ook goed te zien. Er stond een heel artikel bij, maar ze kon alleen de woorden *Sterrenhout, Swiss Cottage en St. Michael's* begrijpen.

'Zou het een artikel zijn dat we verdwaald zijn?' zei Florine en ze pakte de krant op.

'Nee, natuurlijk niet! Zo snel gaat dat toch niet! Hoeveel kost die krant? Dan kopen we hem!'

Ze namen allebei een krant en gaven de man bij de kassa geld. Hij keek hen vragend aan. De vrouw die het tijdschrift had gekocht, keek nieuwsgierig naar de twee meisjes.

'Kijk, dit... *us!'* zei Julia en ze wees naar de foto en toen naar haar en Florine. *'We* eh... wat was dat woord ook alweer... *play hockey.'*

'Ah, really!' zei de man nu geïnteresseerd en hij glimlachte. Hij gebaarde dat hij de krant even wilde en las snel het artikel. Lachend overhandigde hij de krant weer. *'I see! You're the Dutch*

girls that played against St. Michael's School for Girls in their one hundredth game. Wonderful!'

De vrouw naast hen stak haar duim op en lachte. *'Very good!'* Ze keek over hun schouder mee naar de krant.

'Ja, ik weet niet wat hij precies zei, maar kom op, Juul, we moeten weg!' Florine trok aan Julia's mouw.

'Wacht eens even...' Julia keek van Florine naar de krant en toen naar de man achter de toonbank. Hij was kaal en droeg een dikke jas en handschoenen. De kiosk was niet echt warm.

'Ik denk dat hij ons kan helpen, Flo. Vanwege de krant!'

'Hoe dan?' Florine keek op haar horloge. Het was inmiddels kwart over vier, over ruim een uur vertrok hun trein naar Nederland.

'We moeten het woordenboek nog even hebben.' Julia keek de man aan.

'You moet *help us.'* Ze wees naar zichzelf en Florine.

'Help you? How? With what?' vroeg de man. Hij schonk een kop thee in uit zijn thermosfles en nam een slok.

Na een paar minuten had Julia weer een paar vertaalde zinnen opgeschreven. Ze overhandigde het papiertje aan de man.

Hij begon hardop te lezen en keek de vrouw, die nog steeds bij hen stond, verbaasd aan. *'I think these two girls are lost...'* zei hij en hij overhandigde het briefje aan de vrouw. Die las het ook en keek de meiden toen vol medelijden aan.

'Hoe gaat dit dan helpen, Juul?' vroeg Florine ongeduldig. 'Ik wil weg hier. Ik wil naar huis...' Ze begon te snotteren. 'Wat een stomme stad! Ik wil de trein niet missen straks, ik wil gewoon naar huis en naar papa en mama! Waarom stopte Carla nou niet? Die liep gewoon door! Straks komen we nooit meer thuis.

En jij staat hier stom een krant te lezen!' Tranen stroomden over haar wangen.

Julia legde een arm om Florine heen. 'Ik wil ook naar huis, Flo.' Haar stem trilde hoorbaar.

De vrouw naast hen legde haar hand op Florines schouder en keek haar vriendelijk aan. *'Don't worry. I'll help you.'*

Florine snufte en pakte een zakdoekje uit haar tas.

'Okay, you are lost,' zei de vrouw en ze wees naar het briefje.

'Lost, dat is verdwaald. Dat had ik net opgeschreven.' Julia knikte.

'Wat heb je nog meer opgeschreven dan?' Florine snoot haar neus.

'Dat we verdwaald zijn en naar het British Museum moeten, dat we bij Anna sliepen en dat Elizabeth op St. Michael's zit en dat we iedereen moeten vinden en dat de trein om half zes naar Nederland gaat. Zoiets heb ik vertaald.'

De vrouw keek op haar horloge. Ze overlegde met de man van de kiosk. *'I think you need to go to St. Pancras Station. That's where the trains to the Netherlands leave from.'* Ze stopte het tijdschrift in haar tas.

Julia keek de vrouw onderzoekend aan. Ze was ongeveer dertig of zo, schatte Julia, en ze droeg sportkleding en had een iPod in haar oren. Haar bruine haren waren in een hoge paardenstaart gebonden.

'Come on!' gebaarde ze.

'Wat... wat doet ze?' Florine keek vragend naar Julia.

'Ik denk dat ze wil dat we met haar meegaan.' Julia keek vragend naar de kioskhouder, die hun vriendelijk en bemoedigend toeknikte.

'Go on then! Good luck!' zei hij nog en hij stak zijn hand omhoog.

'Wat als ze een creep is, Juul? En ons ontvoert of zo... Laten we wegrennen!' Florine keek Julia smekend aan. 'Ik ben bang!'

Julia keek vertwijfeld van Florine naar de vrouw. Ze wisten natuurlijk niets van haar, misschien had Florine gelijk. Maar er was niemand anders die hen kon helpen.

De vrouw draaide zich om. *'Okay, my name is Sandra. Come on, girls! We're going to find your team and get you home!'*

Julia keek Florine aan. 'Ik ga met haar mee,' zei ze resoluut. 'Ik zou niet weten wat we anders moeten doen. En jij zult ook mee moeten.'

Ze liepen haastig met z'n drieën naar de metro. Sandra kocht kaartjes voor alle drie en ze renden naar de stilstaande trein. Ze trok hen snel mee, tussen alle mensen door, tot ze veilig in de metro stonden.

Julia en Florine waren bijna misselijk van de spanning.

'Gaan we naar het British Museum, denk je?' vroeg Florine.

'Ik denk van wel. Ik begrijp maar heel weinig van wat ze zegt. Ik geloof dat ze zei dat ze Sandra heet.'

Sandra stond ondertussen druk te sms'en. Zo nu en dan lachte ze hen bemoedigend toe. *'It's going to be fine!'*

'Misschien sms't ze nu wel andere criminelen of zo...' Florines stem kraakte, 'dat ze ons ontvoerd heeft!' Florine keek angstig om zich heen. 'Zullen we gaan gillen?'

Julia keek haar aan. 'Doe niet zo idioot! We hebben geen andere keus, Flo, ik zou niet weten hoe we anders bij dat museum moeten komen!'

Florine keek haar schaapachtig aan en blies langzaam haar adem uit.

'Wij hadden dit toch allemaal zelf nooit gevonden,' ging Julia door, 'met al die verschillende lijnen. Alles lijkt hier op elkaar.'

Julia zuchtte. 'Hoe laat is het nu?'

'Vijf voor vijf...' Florine knipperde met haar ogen. 'Dus over een half uur...'

'Ja,' knikte Julia bedeesd. 'Dan vertrekt de trein naar Nederland...'

Sandra's mobiel ging af en Julia en Florine keken terwijl ze druk gebarend en opgewonden in het toestel sprak. Ze begon te glimlachen en hing op.

De metro ging door een scherpe bocht en Julia en Florine hielden zich stevig vast aan de stang naast zich. Ze vielen bijna om. Sandra's mobiel ging weer en toen ze op had gehangen, glimlachte ze naar de twee vriendinnen en zei iets. Door het lawaai van de metro verstond Julia het nauwelijks.

'Wat zei ze?' vroeg Florine en pakte de ijzeren stang weer stevig vast toen de metro vaart maakte.

'Geen idee. Iets over een saaie man of zo.' Julia haalde haar schouders op. Nog maar twintig minuten... En als ze dan nog van het British Museum naar de trein moesten... Ze slikte en knipperde met haar ogen. Ze wilde niet dat Florine zou zien dat ze zelf eigenlijk ook in paniek was. Ze wilde hoe dan ook naar huis vanavond, twee nachten was lang genoeg geweest en overmorgen was het kerst en dan wilde ze gewoon thuis zijn.

'Huh? Een saaie man?'

Maar Julia antwoordde niet en staarde uit het raam naar de donkere tunnelwanden die voorbijschoten. Ze zag haar eigen reflectie in het raam en ook die van Sandra, die druk in de weer was met haar mobiel. Wie belde ze nou toch allemaal? Het was trouwens wel erg aardig van haar dat ze hen zomaar wilde helpen. Maar ergens vond ze het ook eng, ze kenden haar tenslotte niet. En wat als Florine gelijk had? Je hoorde soms de vreemdste verhalen...

De metro stopte weer en Sandra klapte haar mobiel dicht. *'Come on, girls. We're here!'*

13

Ze stapten uit en liepen achter Sandra aan, trappen op en tunnels door, vol andere reizigers. Toen kwamen ze in een enorm grote hal.

Julia zag winkeltjes, cafeetjes en restaurants en overal liepen mensen met tassen en koffers haastig voorbij. 'Zijn we nou bij... eh... dat British Museum?' vroeg Julia en ze keek de vrouw aan. 'Het lijkt alweer op een station.'

'No, not the museum! St. Pancras Station. We can find saaiman here!'

'Wat is dat nou met die saaie man, Juul?! Dat het enige wat ik versta. En dat dit niet het museum is. O nee, hè! Ze heeft het helemaal niet begrepen en ons heel ergens anders heen gebracht! Zie je nou? Ik zei het toch? We moeten wegrennen, Juul, en heel hard gaan gillen en...'

'Julia! Florine!' hoorden ze achter zich schreeuwen.

Ze draaiden zich razendsnel om naar de bekende stem.

'Simon!' riep Julia uit.

'Yes,' grijnsde Sandra. *'Saaiman!'*

Simon en Anna renden naar hen toe. Simons gezicht vertoonde een mengeling van boosheid, opluchting en ongerustheid. Van de rest van het team was niemand te zien. Anna leek vooral erg opgelucht.

'We hebben geen tijd te verliezen!' Simon pakte Sandra's hand en bedankte haar uitvoerig in het Engels.

Sandra lachte en schudde haar hoofd terwijl ze iets terugzei. *'Well girls, got you here on time. Have a good trip home!'* Ze glimlachte.

Anna pakte Julia en Florine even stevig vast. 'Gelukkig dat jullie terecht zijn! We zijn zo bang geweest...' Ze knipperde met haar ogen en zoende hen allebei op de wang. 'Jullie moeten gaan. Dag lieve meiden!'

Simon pakte de handen van Julia en Florine vast.

'We moeten rennen! De trein zou maar even wachten en we moeten de hele hal nog door!' Hij begon aan hen te trekken.

'Goodbye! Thank you!' riep Julia nog naar Sandra, die naar hen zwaaide. 'Dag Anna! Dahaaag!'

Alles gebeurde opeens zo snel dat ze nauwelijks tijd hadden om op adem te komen. Blindelings renden ze met Simon mee. Ze vlogen dwars door de hal, naar een glazen wachtruimte waar mensen in enorme rijen stonden te wachten. Er stond een beveiliger met een walkietalkie en Simon rende naar hem toe. De man leek Simon te herkennen en zorgde ervoor dat ze langs alle rijen mochten en als eersten aan de beurt waren. Simon liet hun paspoorten zien en ze moesten hun tassen laten onderzoeken.

'Ah, the runaway girls!' zei de vrouw achter de balie, die hun tickets van Simon aannam.

'Wat zegt ze? Simon, waar zijn de anderen?'

Simon keek geïrriteerd naar Julia. 'Ze zegt dat jullie de meisjes waren die waren weggelopen. Nou, opschieten! Die trein blijft niet nog langer staan, die heeft ook een schema! En er zitten nu allemaal passagiers op jullie te wachten!'

Weggelopen? Julia rende achter Simon aan, het perron op. Ze keek snel naar Florine en zag dat die er ook niets van begreep. Aan de wand hing een grote klok. 17:48 uur.

Het perron was leeg, op een paar medewerkers na, die hun gebaarden dat ze snel de trein in moesten.

'U hebt het gehaald!' zei een vriendelijk meisje in uniform, zodra ze de trein in stapten. 'Gelukkig! En de weglopertjes zijn ook weer gevonden. Loopt u maar snel door naar wagon veertien, we vertrekken meteen!'

'Bedankt dat jullie wilden wachten...' zei Simon en hij haalde een hand door zijn haren.

'Natuurlijk! Het zijn kinderen, geen volwassenen die doelbewust hun trein missen.'

De trein begon te rijden. Er klonk een stem door de luidsprekers, eerst in het Engels en daarna in het Nederlands.

'Dames en heren, wij vertrekken nu uit St. Pancras Station op weg naar Brussel-Zuid. Onze excuses voor de vertraging. Wij zullen om ongeveer kwart voor negen aankomen in Brussel en wensen u een voorspoedige reis.'

Ze moesten door de schommelende treinstellen lopen tot ze bij wagon nummer veertien waren. In het voorbijgaan hadden een paar passagiers afkeurend naar Julia, Simon en Florine gekeken.

'Daar zijn ze!' riep Sanne uit en ze sprong van haar zitplaats. Alle meiden van Sterrenhout keken naar Julia en Florine. Ook de andere passagiers keken geïntrigeerd op.

Carla had gehuild, zag Julia. De uitgelopen mascara zat nog op haar wangen.

'Waar waren jullie nou? Waarom gingen jullie weg?' riep Emma uit.

Simon gebaarde dat iedereen stil moest zijn. Hij wees naar twee lege plekken naast elkaar. 'Ik heb er even schoon genoeg van. De hele middag is al verziekt door jullie. Wij zijn alleen maar bezig geweest met jullie zoeken terwijl jullie je pleziertjes hadden! Ik wil eerst op adem komen. Straks, dames, heb ik een pittig woordje met jullie te bespreken. Voor nu lijkt het me beter dat jullie gewoon gaan zitten.'

'Maar Simon, we zijn helemaal niet weggelo...'

'Hou je mond maar! Ik ben in een paar uur tijd jaren ouder geworden dankzij jullie! Jullie moesten zeker zo nodig shoppen! Nou, jullie hebben geen idee hoe ontzettend ongerust wij zijn geweest! En Anna was in alle staten!' Simons ogen spuwden vuur. Zonder nog naar hen te kijken ging hij naast Carla zitten.

De sfeer was bedrukt. Iedereen zweeg en keek uit het raam.

Florine en Julia lieten zich op de stoelen zakken.

Julia veegde kwaad wat tranen weg. Het leek wel een kermis in haar hoofd – ze was opgelucht, blij, boos en verdrietig tegelijk. Hoe kon Simon nou denken dat ze weggelopen waren?! Had hij enig idee hoe eng de afgelopen uren voor hen waren geweest?

Ze keek Florine aan, die met een zakdoekje haar ogen depte en ze pakte Florines hand. Ze kneep er even in.

'Jij en ik weten dat we niet weggelopen zijn, Flo. Dat is het belangrijkste! En dat we nu weer op weg naar huis zijn!' De vriendinnen keken elkaar zwijgend aan.

'Het is niet eerlijk!' zei Florine. 'Wij konden er niets aan doen! En nu doet Simon net of het allemaal onze schuld is...'

Julia knikte. Ze voelde zich opeens bekaf. Ze had ook nog steeds honger en dorst.

'Heb jij nog iets te eten of te drinken?'

Florine schudde haar hoofd.

Jasmijn en Daisy, die voor hen zaten, draaiden zich om.

'Pssst! Juul, Flo, hier...' Daisy duwde een blikje frisdrank en een zak chips door de opening tussen de twee stoelen.

'Bedankt...' Julia scheurde de zak open en at hem snel leeg met Florine.

'Ik geloof het niet hoor,' fluisterde Daisy, 'dat jullie weggelopen zijn. Ik denk dat niemand dat gelooft. Alleen Simon en Carla.'

Julia was te moe om erop in te gaan. Ze nam een slok frisdrank en gaf het blikje weer aan Florine. Ze legde haar hoofd tegen Florines schouder en viel binnen een paar minuten in een diepe slaap. Ze droomde over metro's die wegreden net op het moment dat zij en Florine wilden instappen, over eindeloze metrogangen waarin ze verdwaalden. Steeds meende ze de anderen in de verte te zien en dan pakte ze Florines hand en renden ze door allerlei gangen achter hen aan en steeds weer raakten ze hen weer kwijt.

'Juul! Juul?! Wakker worden! Je bent aan het dromen!' Florine schudde haar zacht heen en weer.

'Huh? Wat?' Gedesoriënteerd keek Julia om zich heen.

'Je riep steeds in je slaap dat we moesten rennen. Je gilde net zelfs.'

'O?' Julia schudde haar hoofd om wakker te worden. 'Ja, ik

had rare dromen... Waar zijn we eigenlijk?'

'In de tunnel. Onder de zee.'

Ze keken uit het raam.

'Gek hè, dat je dat niet ziet. Je bent gewoon in een verlichte tunnel, je hebt helemaal niet het idee dat je onder water rijdt.'

Naast hen klonk het schrapen van een keel. Ze keken allebei op en zagen Simon staan.

'Ik denk dat we nog even wat moeten uitpraten...' Simon leunde op de rugleuning van de stoel voor hen.

Julia keek hem bozig aan. Hier had ze weinig zin in, zeker niet als Simon hen toch niet wilde geloven.

'Ik wil graag jullie kant van het verhaal horen... Net stond ik daar niet echt open voor, maar dat is ook niet eerlijk van me. Het was omdat we zo vreselijk ongerust waren dat ik zo boos reageerde. Dus vertel.'

Florine keek naar Julia. 'Nou...' begon ze en ze vertelde. Over de drukke metrostations, hoe ze in het gedrang haar tas had laten vallen en alles eruit was gerold. Hoe Julia nog had geroepen naar Carla, Pip en Pleun, maar niemand gestopt was en iedereen gewoon was doorgelopen. Hoe zij en Julia achter Carla en de rest aan waren gerend, maar opeens niemand meer zagen en moesten kiezen uit twee metrolijnen en hoe ze naar het eerstvolgende station waren gegaan. En daarna niet goed meer wisten waar ze vandaan kwamen en dus op zoek waren gegaan naar het museum met oude dieren, omdat dat ze bij was gebleven. En dat ze daarna opeens beseften dat ze in het verkeerde museum waren, dat ze naar het British Museum moesten en dat, toen ze daarnaar vroegen, Sandra hen geholpen had omdat ze hen herkende van de voorkant van de krant. En hoe Sandra hen uiteindelijk had meegenomen naar het station.

'...en toen waren jullie daar,' beëindigde Florine haar verhaal.

Simon bleef een poos stil.

'Jee, en wij dachten... Omdat jij gisteren zo zeurde om dat winkelen en vanochtend weer, dacht Carla dat jullie ertussenuit gepiept waren om te gaan shoppen. We belden jullie steeds, maar jullie namen niet op!'

'Nee, mijn batterij was leeg en Juul is haar mobiel vrijdag kwijtgeraakt.'

Simon zuchtte. 'Wat een verhaal, zeg... Wat zullen jullie bang zijn geweest!'

'Ja, en daarom is het heel oneerlijk dat je ons beschuldigde van weglopen!' zei Julia fel. 'Carla had gewoon op ons moeten letten, maar die liep voorop en keek nergens meer naar!'

Simon knikte. 'Ja, dat spijt me, en Carla ook, geloof me. Maar wij waren echt enorm ongerust. We hadden al met elkaar besproken dat Carla met het team naar Nederland terug zou gaan en dat ik zou blijven als jullie nog niet terecht waren. We zijn ook naar het politiebureau gegaan, maar die wilden nog niet in actie komen, omdat we jullie pas een paar uur kwijt waren. Anna heeft iedere plek waar we met jullie zijn geweest, gebeld. Maar niemand wist iets. En toen kwam er opeens een telefoontje van iemand van Swiss Cottage. Een vrouw had naar het clubhuis gebeld met de vraag of ze wisten waar de twee Nederlandse meisjes die bij haar stonden, naartoe moesten.'

'Dat was Sandra!'

'Ja, het was haar duidelijk dat jullie niet goed wisten waar je heen moest. Toen jullie haar de krant lieten zien en een briefje dat je verdwaald was, kon ze in het artikel lezen dat jullie bij leden van hockeyclub Swiss Cottage logeerden en daarom belde ze het clubhuis. En zo kon Anna haar vertellen dat ze met jullie naar het St. Pancras station moest. Ondertussen hadden wij op het station alles uitgelegd en gevraagd of de trein kon wachten tot jullie er waren. Normaal gesproken doen ze dat niet, maar omdat jullie kinderen zijn, maakten ze een uitzondering.'

Ze waren alle drie even stil. 'Het is gelukkig allemaal goed gekomen,' Simon lachte. 'Maar hadden jullie het nou over een krant waar we in staan? Heb je die ook bij je?'

Julia haalde de krant tevoorschijn en alle meiden van het hockeyteam hingen over hun stoelen om het artikel ook te kunnen zien.

'...daar sta ik op de achtergrond!'

'...denk dat dat mijn stick was!'

'Jammer, ik sta er niet op!'

'Maar wel een leuk aandenken aan ons internationale debuut, haha!'

'En een mooier souvenir dan een mok van Londen of zo!'

Iedereen praatte door elkaar.

Julia en Florine keken elkaar grijnzend aan.

'Ja, ik denk inderdaad dat wij het mooiste souvenir hebben...' Julia knikte. 'Simon, misschien kun je voor iedereen kopietjes hiervan maken, want de originele krant, die houden wij.'

'Goed plan!' Simon vouwde de krant weer dicht en gaf hem terug. 'Dat doen we later deze week, dan kom ik hem wel een keer bij jullie thuis ophalen, na de kerstdagen.'

'Trouwens, Simon... Sandra had het steeds over 'saaiman' als ze het over jou had, wij begrepen dat niet echt... Wat bedoelde ze?'

Simon werd rood en begon te lachen. 'O! Haha! Saai man?! Die is goed! Simon spreek je in het Engels uit als... Saaiman!'

Het hele team lachte. 'Coach Saaiman!' riep Jasmijn. 'Die houden we erin!'

En terwijl de trein door Frankrijk reed op weg naar België, praatten de meiden honderduit met elkaar.

14

Het was kerstochtend. Julia rekte zich uit en keek op de wekker. Half tien. Ze hoorde haar moeder in de keuken rommelen en gooide het dekbed van zich af, deed sokken aan en een trui over haar pyjama, en liep naar beneden. Vlinder was de ontbijttafel mooi aan het dekken. Nick was nog niet beneden maar ze hoorde hem boven in de badkamer.

Het was de derde keer dat ze kerst zonder papa vierden. Dat voelde nog steeds niet goed, dacht Julia, maar het voelde al wel minder zwaar dan het eerste jaar, toen ze niet eens kerst hadden kunnen vieren omdat mama de hele dag in bed bleef liggen.

Nu stond mam neuriënd broodjes te bakken en sinaasappels te persen. 'Goeiemorgen, liefje!'

Julia liep naar haar moeder toe en sloeg haar armen om mams middel. Ze hield haar even stevig vast en sloot haar ogen. Ze was zo blij om weer thuis te zijn. Die eerste nacht had ze bij mam in bed geslapen en alles verteld. Mam was eerst boos geweest op Simon en Carla en had gefoeterd over verantwoordelijkheidsgevoel en op kinderen letten. 'Het is maar goed dat ik het allemaal niet wist,' had ze gezegd terwijl ze Julia over haar haren streek, 'want ik had waarschijnlijk het eerste het beste vliegtuig gepakt om je zelf te komen zoeken!'

'Ben je niet boos dat ik mijn mobiel kwijt ben en geen cadeautjes voor jullie heb?'

'Ben je gek! Ik ben allang blij dat jij er weer gewoon bent!'

'Ik ook! We zagen daar in de metro best vaak zwervers. Die hadden alleen maar een paar plastic tassen en vieze kleding. Zij hadden helemaal geen huis, of mobiel, of cadeautjes...' Julia had gezucht. 'Daar schrok ik van.'

'Niet iedereen heeft evenveel geluk in het leven,' had mam gezegd.

'Nee, en Flo was bang dat wij ook zo zouden eindigen. Als zwervers in de Londense metro!' Ze had er weer om gelachen en was daarna in slaap gevallen, tegen mam aan.

'Ruikt lekker, die broodjes!' zei ze nu.

Tijdens het ontbijt vertelde Julia over het Indiase eten dat ze bij Anna en haar gezin had gekregen. '...echt zo lekker! Wel pittig, maar superlekker!'

'Ik wil ook hemmahanden...' zei Vlinder en ze keek voor de zoveelste keer naar Julia's handpalmen.

'Henna bedoel je. Maar ik kan dat niet.'

'Ik wil ook wel eens naar Londen,' zei Nick. 'Het klonk echt geweldig. Vooral het deel waarin jullie verdwaalden, haha!'

Julia stak haar tong naar hem uit.

Mam stapelde de borden op. 'Ik heb trouwens nog een verrassing. We gaan vanmiddag naar de bioscoop! En daarna lekker uit eten! Morgenavond zijn we uitgenodigd bij opa en oma, maar ik dacht dat het voor vandaag wel een leuk plan zou zijn!'

'Superleuk!' Julia lachte. 'Welke film?'

'Die mogen jullie uitzoeken,' zei mam en ze stond op. 'Er draait genoeg!'

Ze hadden gekozen voor een lachfilm. Met popcorn en drankjes liepen ze naar de zaal. Nick maakte juist een grapje tegen Julia, toen ze hun moeder hoorden zeggen: 'Nou ja! Wat een toeval! Daar loopt Rob!'

Julia's ogen schoten omhoog. 'Rob?!'

Maar mam liep al naar een man toe die haar glimlachend tegemoetkwam. Achter hem liepen twee kinderen, ongeveer van Nicks en Julia's leeftijd.

'Toeval?!' Julia keek Nick aan en rolde met haar ogen. 'Denkt ze nou echt dat wij dat geloven?!'

Ze zag Nick ook fronsen. Vlinder was gewoon met mam meegelopen.

Rob zoende mama op haar wang, zagen ze, en stelde de twee kinderen achter hem aan haar voor. Die keken al net zo enthousiast als Nick en Julia – niet dus.

Mam gebaarde dat Julia en Nick moesten komen. Met lood in hun schoenen liepen ze naar het groepje toe.

'Dat is echt heel toevallig, zeg! Dit zijn mijn kinderen. Dit is Nick en deze wereldreizigster is Julia.'

Rob stak zijn hand uit en Nick en Julia schudden die met tegenzin.

'Leuk jullie te ontmoeten. Dit zijn Sarah en Stijn, mijn kinderen.'

'Hoi,' mompelde Julia.

Er viel een ongemakkelijke stilte.

'Eh... naar welke film gaan jullie?' vroeg mam.

'Die comedy,' zei Rob.

'Wat een toeval, zeg...' mompelde Nick tegen Julia.

'Wij ook!' zei mam en ze lachte. 'Nou, laten we dan maar naar binnen gaan, hij begint zo.'

Ze liepen achter elkaar de zaal in. Julia had opeens stukken minder zin in de film en keek haar moeder kwaad aan. Die was echter in gesprek met Rob en zag haar niet. Julia merkte wel dat Sarah ook boos keek.

'Zullen we op deze rij gaan zitten? Daar passen we allemaal nog wel op!' Mam gebaarde naar een rij stoelen. Julia en Nick doken er als eersten in, gevolgd door Vlinder en mam en daarna Rob en zijn gezin.

'En nu zitten ze ook naast elkaar, he-le-maal toevallig natuurlijk... bah!' fluisterde Julia in haar broers oor.

Hij grimaste.

'Hij zal toch niet ook mee uit eten gaan, hè?!' Ze ging opeens rechter zitten. 'Daar heb ik dus echt helemaal geen zin in,' zei ze verontwaardigd.

Nick haalde zijn schouders op. 'Vraag het haar.'

'Mam,' ze leunde over Vlinder heen, 'we gaan toch wel alleen uit eten? Hij gaat toch niet mee?'

Mam schudde haar hoofd. 'Nee, ik heb voor vier personen gereserveerd, maar het is wel leuk dat we ze nu tegenkomen, vind je niet?'

'Nou, reuze...' zei Julia venijnig en ze liet zich weer in haar stoel zakken. De reclame begon en daarna kwamen de voorstukjes van nieuwe films.

Ondanks de aanwezigheid van Rob en zijn gezin ging Julia toch op in de hoofdfilm en ze moest een paar keer hard lachen.

Na de film liepen ze naar de foyer.

'Dat was een leuke film!' Rob grijnsde. 'Vonden jullie ook niet?'

Julia haalde haar schouders op. 'Best wel.'

'Ik vond er niets aan,' zei Stijn. 'Gaan we nou?'

'Ja, wij gaan naar huis, ik heb een heerlijke kalkoen klaargemaakt.' Rob keek Julia, Vlinder en Nick vriendelijk aan. 'Leuk jullie eens ontmoet te hebben!'

Julia bestudeerde hem even. Hij was niet superlelijk, dacht ze. Hij had donker haar, was een klein beetje kaal aan het worden achter op zijn hoofd en hij had vriendelijke bruine ogen. Hij was een klein beetje gezet, maar wel langer dan mam. En hij leek totaal niet op haar vader.

'Fijne avond dan nog...' zei mam.

Rob boog voorover en gaf haar opnieuw een zoen op haar wang. 'Jij ook. Ik bel vanavond misschien nog wel.'

Julia zag dat Sarah nauwelijks haar afkeer kon verbergen. Zelf wilde ze ook het liefst gillend wegrennen. Ze draaide zich om en liep naar de uitgang. 'Doei,' zei ze kortaf tegen Rob, Sarah en Stijn en ze bleef buiten in de kou wachten tot mam ook kwam.

Het was druk in het restaurant. Mam noemde hun naam en daarna werden ze naar een tafel gebracht.

Terwijl ze wachtten op hun drankjes, speelde Julia afwezig met haar bestek.

'Wat leuk dat jullie Rob nu ook eens ontmoet hebben!' zei mam en ze keek blij de tafel rond.

'En wat ontzettend toevallig...' zei Nick sarcastisch.

Mam beet op haar lip en nam een slok water.

Julia, Vlinder en Nick keken haar alle drie zwijgend aan.

'Tja... niet helemaal, dat geef ik toe. Het leek ons een makkelijke manier om elkaars gezin eens te zien. Als je echt afspreekt dat je bij elkaar op bezoek gaat en zo, is het meteen zo... officieel. En dat is niet de bedoeling.' Mam zweeg even en nam een hap brood. 'En als ik jullie van tevoren had verteld dat hij er ook zou zijn, hadden jullie vast niet naar de bioscoop gewild.'

Nick haalde zijn schouders op. 'Gelukkig ging hij niet mee eten. Dat had ik niet getrokken...'

'We willen ook niets overhaasten, jongens. Maar het voelt wel goed, bij hem. En het aller-, allerbelangrijkste vind ik dat hij jullie ook accepteert. Jullie staan voor mij op de eerste plaats. Net als zijn kinderen voor hem op de eerste plaats komen. Om te kijken wat we van elkaars kinderen vinden, is het natuurlijk wel belangrijk om die een keer te zien en...'

'Dat had ook met een foto gekund!' zei Nick fel.

'Ja, maar dat is niet hetzelfde als ze in het echt ontmoeten. Sorry, ik had misschien eerlijk tegen jullie moeten zijn. Maar voor mij is dit allemaal ook nieuw. En voorlopig blijft het hierbij. We hebben elkaars gezin nu een keer gezien. Dan kijken we van hieruit wel weer verder. Maar laten we nu vooral genieten van ons kerstdiner, oké? Het is zo fijn om hier nu met z'n vieren te zitten, laten we gewoon lekker eten. Vlinder, waar heb jij zin in?'

'Pannenkoeken,' zei Vlinder en Julia begon te lachen.

'Het is kerst, gekkie! Je kunt hier nu geen pannenkoeken eten! Ik maak thuis wel een keer pannenkoeken en dan doen we er cake bij en taartjes, net als in Engeland. Met sandwiches en koekjes en thee.'

15

Florine knipperde met haar ogen. Ja, echt, het stond er.

> Hi Florine! Jammer ik alle avonturen heb gemist van jullie, vermist in metro, haha! Toen jij weg gingen, sliep ik nog. Had wel klok gezet, maar weer uitgedaan in slaap... sorry! Wilde nog goodbye zeggen. Jouw e-mailadres heb ik van Liz gehad. Goed ook om Nederlands te leren, dus mag ik vaak mailen? En zag je in krant. Hebben die uitgeknipt en aan muur geplakt.
> Happy New Year!
> Oliver
> PS: in februari wij naar oma gaan in Friesland. Misschien dan elkaar zien!

Florine herlas de mail zeker vijf keer en de vlinders in haar buik fladderden steeds harder. Grijnzend pakte ze haar telefoon.

'Met Julia Smit.'

'Juul?! Hij heeft gemaild! En hij komt misschien naar Nederland in februari en dan kan ik hem zien!'

'Wie?' Maar Julia moest lachen.

'Oliver natuurlijk! Hij mailde dat hij mijn e-mailadres aan Lizzy had gevraagd. Dat doet hij denk ik alleen als hij me leuk vindt, toch? Denk je niet? Of heeft hij jou ook gemaild?'

'Nee. Hij heeft mij niet gemaild... Lizzy wel. We waren daar in huis blijkbaar het gesprek van de dag en Anna had van Sandra begrepen dat wij inderdaad verdwaald waren. Trouwens, supernieuws! Anna had die maandag nog naar dat tentje gebeld waar we die vrijdag waren en raad eens? Mijn mobiel is gevonden! Ze gaat hem deze week per pakketpost opsturen!'

'Geweldig, Juul! Oliver mailde ook nog dat hij op had willen staan maar dat hij de wekker...' Florine kwekte opgewonden verder en Julia keek grijnzend naar de ingelijste voorkant van de krant, die haar moeder had opgehangen.

'...jij nog gedaan met kerst?' vroeg Florine nu.

'Mijn moeders vriend ontmoet.' Julia vertelde het verhaal van een paar dagen geleden. 'Maar ik heb erover nagedacht, en weet je, ze kan niet eeuwig alleen blijven alleen omdat ik dat zou willen. En hij was niet zo erg om te zien. Een beetje saai misschien, maar...'

'Saaiman!' riep Florine lachend.

'Ja, haha, saai man! Trouwens, over saaiman gesproken, heb jij die mail nog gehad van Simon, over de hockeyzomerdagen in juli?'

'Ja! Lijkt me super! Als jij nou ook mag, dan zouden we misschien samen kunnen gaan!' riep Florine.

'Wow, dat zou gezellig zijn.' Julia zuchtte dromerig.

'Samen naar de hockeydagen... Hé, ik ga het straks meteen vragen! Nu ga ik ophangen. Ga een hoge thee maken voor de rest. Doei!'

'Bye! Vergeet het keukentrapje niet dan, voor je hoge thee!'

Ken je deze boeken al?

ISBN 9978.90.206.21.91.4

Verhuizen van het Amsterdam naar een oude boerderij tussen de weilanden. Wat een belachelijk idee, vindt Lizzy! Waarom besluit haar moeder zoiets? Wat is er nou te doen op zo'n boerderij midden in het niks?
Maar al gauw komt ze tot de ontdekking dat er best veel te beleven valt. Samen met oom Steven mag ze haar nieuwe kamer opknappen en inrichten zoals ze zelf wil. En de kinderen die in de buurt wonen, doen allerlei dingen die Lizzy ook leuk vindt. Rebecca bijvoorbeeld, van een paar boerderijen verderop. Daar hebben ze heel veel dieren én een nest met de allerliefste puppy's die je je voor kunt stellen...

ISBN 9978.90.206.21.92.1

Lizzy begint al aardig te wennen op de boerderij waar ze sinds kort met haar moeder woont. Het is vakantie, maar ze heeft super veel te doen. Ze spreekt vaak af met haar nieuwe vrienden Rebecca, Bram en Lars en dan helpen ze oom Steven met klusjes in en om de boerderij. Maar Lizzy heeft het vooral druk met Boef, de allerliefste puppy van de hele wereld.
Dan moet Lizzy's moeder opeens een paar dagen weg voor haar werk. Hoewel Lizzy Rebecca nog niet zo lang kent, wil ze graag bij haar op de boerderij met alle dieren logeren. Rebecca vindt het geweldig. Dit wordt de spannendste logeerpartij ooit, belooft ze Lizzy...

Op de volgende pagina's lees je vast een stukje
uit deel 1 van ***Lizzy***

1

'Dat kun je niet menen. Is dít het? Mam... hier kunnen we toch niet wónen?!' Lizzy Verlinden knippert met haar oogleden om te voorkomen dat de tranen die in haar ogen schieten, tussen haar lange wimpers door rollen. Haar donkere krullen vallen voor haar gezicht. Ze duwt haar handen tegen het dashboard van de auto, die haar moeder vanaf de smalle dijk het erf van de boerderij op stuurt. Lizzy merkt dat ze zich afzet, alsof ze zo kan tegenhouden dat ze verder rijden. Naar dat... dat... wat hun nieuwe huis moet voorstellen.

'Mam, geef toe. Dit is een geintje. Toch?' Lizzy kijkt opzij.

Haar moeder Ellen heeft wallen onder haar ogen, haar donkerblonde pieken vallen langs haar gezicht en haar mond staat strak. Ze tuurt door de vieze voorruit naar de boerderij aan het einde van het pad. De auto rolt langzaam verder. 'Zo in het volle licht ziet het er inderdaad niet zo netjes uit,' geeft ze toe.

'Erg grappig,' reageert Lizzy. 'In het donker valt het allemaal wel mee, bedoel je?' Ze schudt haar hoofd. 'Dit krot gaan we echt niet nemen, mam, dat wordt niks. Keer nou maar om, dan gaan we naar huis.'

Haar moeder zucht. 'Liz... we hebben niks meer te kiezen, dat weet je toch? Dit ís ons huis. Het enige huis dat we hebben. We kunnen niet in ons oude huis blijven en ik heb geen geld voor een andere woning in Amsterdam. Wees blij dat ik dit gevonden heb.'

Lizzy slikt. Nou, blij is ze niet bepaald. Wat moet ze nou in deze bouwval midden in het niks? Ver van haar school en haar vriendinnen? Ze weet dat haar moeder weinig keus heeft, maar hier kunnen ze toch niet gaan wonen? Het valt nog mee dat er geen bordje *onbewoonbaar verklaard* op de deur hangt. 'Mam, ik meen het. Hier ga ik dus echt niet wonen,' zegt Lizzy. Ze slaat haar armen over elkaar, klaar voor de boze reactie van haar moeder.

Maar het blijft stil. Nogal lang. De stationcar mindert vaart, tot ze stilstaan.

Lizzy's moeder wrijft met beide handen over haar gezicht. 'We kunnen nergens anders naartoe, Liz. Natuurlijk zullen we hier moeten wennen, maar het wordt vast leuk.'

Leuk. Ja hoor. Lizzy draait haar hoofd en kijkt door het zij-raampje. Ze voelt hoe de tranen nu toch tussen haar wimpers door glippen.

Er is hier helemaal niks te zien. Een dikke rij struiken. Sliertten onkruid over het grindpad. Dat meer lijkt op een strook hard geworden modder met hier en daar wat steentjes. Achter de struiken: niks. Alleen maar lege velden en lege lucht. Geen huizen, geen kantoren, geen straten, geen grachten, geen auto's, geen winkels. Geen mensen.

Geen Amsterdam.

Lizzy blijft zitten als haar moeder uit de auto stapt. Waarom zou ze uitstappen? Ze wil niks met deze plek te maken hebben.

Ze kijkt toe hoe haar moeder een sleutel in de voordeur steekt, die halverwege de zijkant van de boerderij zit. Kennelijk doet het slot het niet goed: Lizzy's moeder bonkt met haar heup en schouder tegen de deur en prutst met de sleutel, maar de deur geeft niet mee.

Mooi, denkt Lizzy. Blijf maar lekker dicht.

Maar ze moet wel nodig plassen. Heel erg nodig. Dus opent ze ook maar haar portier en stapt uit. Misschien kan ze ergens onopvallend een plas doen in de bosjes.

Ze loopt zwijgend langs haar moeder, naar de achterkant van de boerderij. Als ze aan het eind van de muur om de hoek kijkt, ziet ze iets wegschieten achter een ander gebouw. Grijsgrauw – wat was dat? Een beest? Wat, een rat? Wel een reusachtige rat dan.

Een paar vogels fladderen luid roepend de hoge bomen in. Meteen daarna is het weer doodstil.

Lizzy blijft staan. Het voelt alsof ze wordt bekeken.

Ineens moet Lizzy heel nodig naar de wc en niet alleen om te plassen. Ze kijkt paniekerig om zich heen en dan valt haar op dat de achterdeur een paar centimeter openstaat. Lizzy grijpt de deurkruk vast, maar de deur klemt. Snel zet ze haar voet tegen de deurpost. Met een ruk krijgt ze er beweging in, zo onverwacht dat ze achterovervalt.

'Yuk!' Ze komt vlug overeind. Er zit bruine troep aan haar broek. Die is nieuw; haar enige broek die niet uit een zak met afgedankte spullen van iemand anders is gekomen. Ze heeft er al haar zakgeld en het geld van haar verjaardag aan uitgegeven.

Ze kijkt omlaag naar haar sneakers. Die zijn nog redelijk schoon. Waarom liggen er niet gewoon overal stoeptegels?

Lizzy veegt haar handen af aan de muur en gaat naar binnen. Ze loopt met snelle stappen door de keuken, naar de gang en ja, gelukkig, daar is een deur met een wc erachter. Gewoon binnen. Ze was heel even bang dat ze buiten in een of ander hok zou moeten.